CURSO DE ESPAÑOL PARA EXTRANJEROS

nuevo ele inicial 1

LIBRO DEL ALUMNO

Virgilio Borobio

sm ele

Proyecto didáctico
Equipo de Idiomas de Ediciones SM

Autor
Virgilio Borobio
Con la colaboración de Ramón Palencia

Asesores
Belén Artuñedo, Laura Carvajal y Leonardo Gómez Torrego

Diseño de interiores
Leyre Mayendía y Alfredo Casaccia

Diseño de cubierta
Alfonso Ruano y Julio Sánchez

Maqueta
Estudio editorial Alfredo Casaccia

Fotografías
A. Crickway, M. Crabstree, M. Shenley, T. Wood / CAMERA PRESS - ZARDOYA; AGE FOTOSTOCK; AISA; Alan Pappe; Albert Heras, R. Raventos Klein, Kurwenal / PRISMA; Andrés Marín; Archivo SM; B. Ashok; C. Rubio, Carrusan, D. Joyner / CONTIFOTO; Carlos Roca; CMCD; David Buffington; DIGITALVISION; Don Tremain; Doug Menuez; Emma Lee; Fernando López Aranguren; FIRO FOTO; Frederic Cirou; G. Sánchez, J. L. Jaén, Javier Prieto / COVER; Ignacio Ruiz Miguel; Javier Calbet; J. M. Navia; J. M. Ruiz; Jose Vicente Resino; J. Slocomb, TOPHAM / CORDON PRESS; Jack Hollingsworth; John A. Rizzo; Julio Sánchez; KEVIN PETERSON PHOTO; KEYSTONE / INCOLOR; Luis Alcalá / EFE; Luis Castelo; Marieta Pedregal; Mark Shelley; Martial Colomb; Olivier Boe; Pedro Carrión; SEXTO SOL / PHOTODISC; PHOTOLINK; RADIAL PRESS; Russell Illig; Sonsoles Prada; Scott T. Baxter; Ginies / SIPA PRESS; STOCK PHOTOS; STOCKTREK; Xurxo Lobato; Yolanda Álvarez.

Ilustración
Julio Sánchez

Coordinación editorial
Aurora Centellas
Ana García Herranz

Dirección editorial
Concepción Maldonado

(edición corregida)

Instituto Cervantes

Este método se ha realizado de acuerdo con el Plan Curricular del Instituto Cervantes, en virtud del Convenio suscrito el 27 de junio de 2002.

Comercializa

Para el extranjero:
Grupo SM
Impresores, 15 Urb. Prado del Espino
28860 Boadilla del Monte - Madrid (España)
Teléfono: (034) 91 422 88 00
Fax: (34) 91 422 61 09
internacional@grupo-sm.com

Para España:
CESMA, SA
Joaquín Turina, 39
28044 Madrid
Teléfono: 902 12 13 23
Fax: 91 428 65 94
clientes.cesma@grupo-sm.com

ISBN:84-675-0942-2 / Depósito legal: M-12463-2006
Ruan, S. A. - C/ Francisco Gervás, 12 - Alcobendas (Madrid) / Impreso en España - *Printed in Spain*

Introducción

NUEVO ELE INICIAL 1 es un curso comunicativo de español dirigido a estudiantes adolescentes y adultos de nivel principiante, concebido con el objetivo de ayudar al alumno a alcanzar un grado de competencia lingüística y comunicativa.

Se trata de un curso centrado en el alumno, que permite al profesor ser flexible y adaptar el trabajo del aula a las necesidades, condiciones y características de los estudiantes.

Se apoya en una metodología motivadora y variada, de contrastada validez, que fomenta la implicación del alumno en el uso creativo de la lengua a lo largo de su proceso de aprendizaje. Sus autores han puesto el máximo cuidado en la secuenciación didáctica de las diferentes actividades y tareas que conforman cada lección.

Tanto en el libro del alumno como en el cuaderno de ejercicios se ofrecen unas propuestas didácticas que facilitan el aprendizaje del estudiante y lo sitúan en condiciones de abordar con garantías de éxito situaciones de uso de la lengua, así como cualquier prueba oficial propia del nivel al que **Nuevo ELE inicial 1** va dirigido (D.E.L.E., escuelas oficiales de idiomas, titulaciones oficiales locales, etc.).

El libro del alumno está estructurado en tres bloques, cada uno de ellos formado por cinco lecciones más otra de repaso. Las lecciones giran en torno a uno o varios temas relacionados entre sí.

En la sección "Descubre España y América Latina" se tratan aspectos variados relacionados con los contenidos temáticos o lingüísticos de la lección. Las actividades propuestas permiten abordar y ampliar aspectos socioculturales de España y América Latina, complementan la base sociocultural aportada por el curso y posibilitan una práctica lingüística adicional.

Todas las lecciones presentan un cuadro final ("Recuerda") donde se enuncian las funciones comunicativas tratadas en ellas, con sus correspondientes exponentes lingüísticos y aspectos gramaticales.

Al final del libro se incluye un resumen de todos los contenidos gramaticales del curso ("Resumen gramatical").

así es este libro

Presentación:

Al comienzo de cada lección se especifican los objetivos comunicativos que se van a trabajar. La presentación de los contenidos temáticos y lingüísticos que abre cada lección (gramática, vocabulario y fonética) se realiza con el apoyo de los documentos y técnicas más adecuados a cada caso. En las diferentes lecciones se alternan diversos tipos de textos, muestras de lengua, diálogos, fotografías, ilustraciones, cómics, etc. La activación de conocimientos previos y el desarrollo del interés de los alumnos por el tema son objetivos que también se contemplan en esta fase inicial.

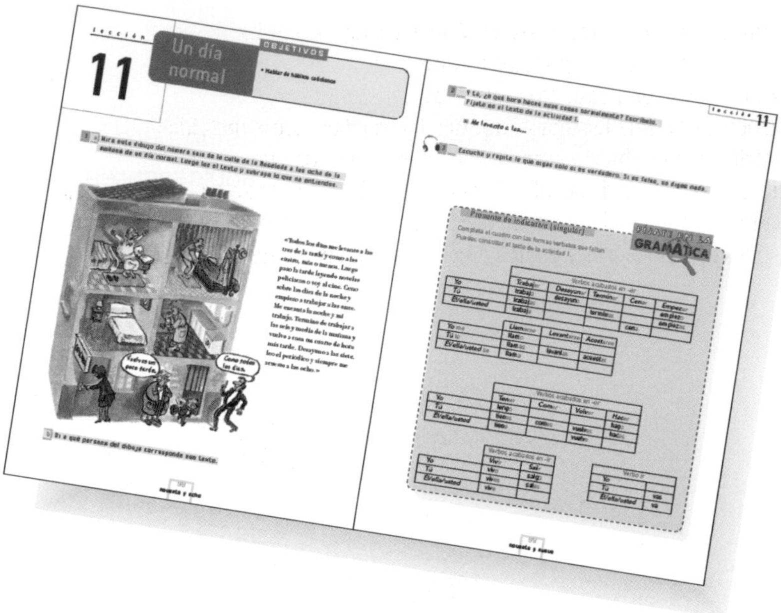

Práctica de contenidos:

A continuación, se incluye una amplia gama de actividades significativas y motivadoras mediante las cuales el alumno va asimilando de forma progresiva los contenidos temáticos y lingüísticos necesarios para alcanzar los objetivos de la lección. Muchas de ellas son de carácter cooperativo y todas han sido graduadas de acuerdo con las demandas cognitivas y de actuación que plantean al alumno. Estas actividades permiten:

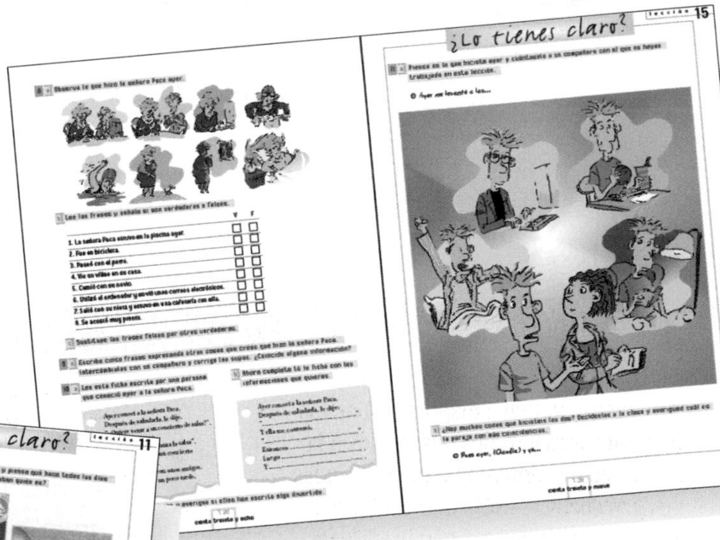

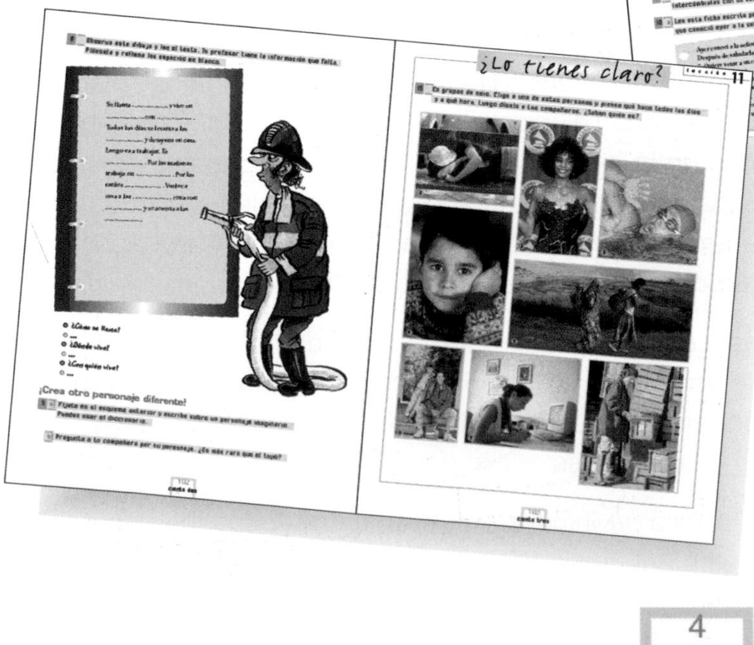

- La práctica lingüística.
- La aplicación, el desarrollo y la integración de las diferentes destrezas lingüísticas (comprensión auditiva, expresión oral, comprensión lectora y expresión escrita).
- La aplicación y el desarrollo de estrategias de comunicación.
- El desarrollo de la autonomía del alumno.

Contenidos socioculturales:

La integración de contenidos temáticos y lingüísticos hace posible que el alumno pueda aprender la lengua al mismo tiempo que asimila unos conocimientos sobre diversos aspectos socioculturales de España y América Latina. Las tareas incluidas contribuyen también a aumentar el interés por los temas seleccionados y al desarrollo de la conciencia intercultural, esto es, a la formación en el conocimiento, comprensión, aceptación y respeto de los valores y estilos de vida de las diferentes culturas.

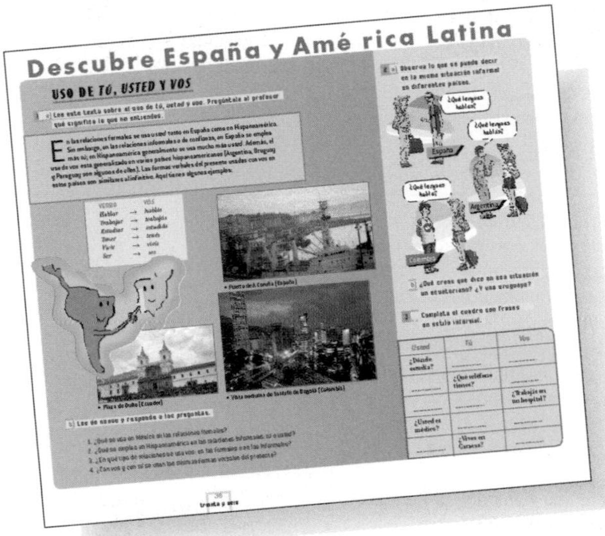

Repasos:

Las lecciones de repaso ponen a disposición de los alumnos y del profesor materiales destinados a la revisión y al refuerzo de contenidos tratados en las cinco lecciones precedentes. Dado que el objetivo fundamental de esas lecciones es la activación de contenidos para que el alumno siga reteniéndolos en su repertorio lingüístico, el profesor puede proponer la realización de determinadas actividades incluidas en ellas cuando lo considere conveniente, aunque eso implique alterar el orden en que aparecen en el libro, y así satisfacer las necesidades reales del alumno.

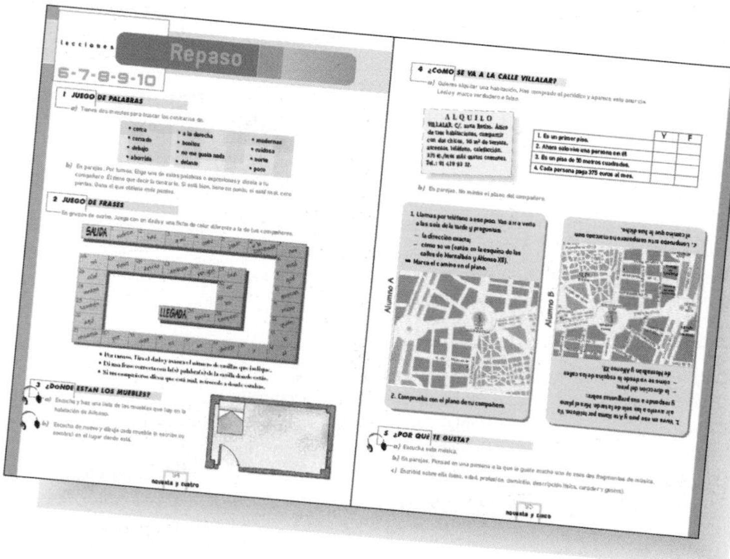

Contenidos del libro

	TEMAS Y VOCABULARIO	OBJETIVOS COMUNICATIVOS	GRAMÁTICA	PRONUNCIACIÓN	DESCUBRE ESPAÑA Y AMÉRICA LATINA
Lección 1	• Saludos (1). • El nombre. • El alfabeto. • Ayudas (1). • Instrucciones de clase. • Despedidas.	• Saludar. • Presentarse. • Deletrear palabras. • Despedirse.	• Pronombres personales sujeto (yo–tú). • Presente de indicativo: verbo *llamarse* (1.ª y 2.ª persona del singular).	• Pronunciación del alfabeto.	• Palabras internacionales.
Lección 2	• Países y nacionalidades. • Lenguas. • Ayudas (2). • Números 0–20.	• Preguntar y decir la nacionalidad. • Preguntar y decir qué lenguas se hablan. • Pedir información léxica y ortográfica.	• Presente de indicativo singular: verbos *ser* y *hablar*. • El género gramatical: adjetivos de nacionalidad. • Interrogativos: *¿Dónde? ¿Qué?*	• El acento.	• El español en el mundo.
Lección 3	• Profesiones. • Lugares de trabajo. • Estudios. • Números 21–100. • La dirección. • El teléfono.	• Preguntar y decir la profesión. • Preguntar y decir dónde se trabaja. • Preguntar y decir qué se estudia. • Preguntar y decir el número de teléfono y de fax. • Preguntar y decir la dirección de correo electrónico.	• Presente de indicativo singular: verbos *trabajar, estudiar, vivir* y *tener*. • Interrogativos: *¿Qué? ¿Cuál?* • El sustantivo: género gramatical. • Artículos indeterminados: *un, una*.	• Entonación en preguntas y respuestas.	• El trabajo en España.
Lección 4	• Saludos (2). • Presentación de una tercera persona. • El tratamiento.	• Presentar a alguien. • Saludar en una presentación y responder al saludo.	• Artículos determinados: *el, la*. • Pronombres demostrativos: *éste, ésta*. • Artículo contracto *al*. • Presencia/ausencia del artículo determinado en las formas de tratamiento. • *Tú–usted*: segunda persona singular del presente de indicativo de los verbos *ser, estar, llamarse, hablar, trabajar, estudiar, vivir* y *tener*.	• El sonido /r̄/	• Uso de *tú, usted* y *vos*.
Lección 5	• La familia. • El estado civil. La edad. • Descripciones físicas de personas. • Colores. • El carácter. • Identificación de personas.	• Hablar sobre la familia, el estado civil y la edad. • Describir físicamente a una persona. • Hablar del carácter de una persona. • Identificar a una persona.	• El número gramatical. • Posesivos: formas átonas. • Concordancia del adjetivo con el sustantivo en género y número. • Presente de indicativo: – Verbos *estar* y *tener*. – Verbos *ser, hablar, trabajar, estudiar* y *vivir* (tercera persona del plural). • Interrogativos: *¿Quién? ¿Cuántos/as? ¿Cómo?* • Cuantificadores: *muy, bastante*.	• Entonación en preguntas y respuestas.	• La población de América Latina.
Repaso 1	1-2-3-4-5	Tarea complementaria: Redactar un texto sobre un compañero.			
Lección 6	• Objetos. • Números 101–10.000. • Monedas y billetes. • De compras.	• Expresar existencia. • Pedir cosas en una tienda. • Preguntar y decir cuál es la moneda de un país. • Preguntar el precio.	• Artículos indeterminados. • Adjetivos y pronombres demostrativos. • Interrogativos: *¿Cuál? ¿Cuánto?*	• La sílaba.	• Los mercados de artesanía de Perú.
Lección 7	• El pueblo o la ciudad. • Situación geográfica. • Números a partir del 10.001.	• Describir una población. • Hablar de la situación geográfica. • Hablar del número de habitantes. • Hablar de los aspectos relevantes de una ciudad.	• Preposiciones y adverbios de lugar: *por, en, cerca (de), lejos (de)*. • Algunos usos de los verbos *ser* y *estar*. • Interrogativos: *¿Cuántos? ¿Dónde? ¿Cómo? ¿Por qué? ¿Cuál?*	• /θ/–/k/	• Geografía de América Latina.

	TEMAS Y VOCABULARIO	OBJETIVOS COMUNICATIVOS	GRAMÁTICA	PRONUNCIACIÓN	DESCUBRE ESPAÑA Y AMÉRICA LATINA
lección 8	• La casa. • Mi habitación. • Los muebles.	• Describir una casa. • Describir una habitación.	• Preposiciones y adverbios de lugar. • *Hay – está(n).*	• La sílaba fuerte.	• La vivienda en España.
lección 9	• Lugares públicos. • La hora. • Días de la semana. • Horarios públicos.	• Preguntar por la existencia y ubicación de lugares públicos. • Informar sobre distancias. • Dar instrucciones para ir a un lugar. • Preguntar y decir la hora. • Preguntar e informar sobre horarios públicos.	• *Un – uno.* • Imperativo afirmativo, singular. • Preposiciones: *a, de, por.*	• /x/ – /g/	• Horarios públicos en España.
lección 10	• Deportes y actividades de tiempo libre (1). • Gustos personales.	• Expresar gustos personales. • Expresar coincidencia y diferencia de gustos. • Expresar diversos grados de gustos personales.	• Verbos *gustar* y *encantar,* formas y usos. • Pronombres de objeto indirecto. • Adverbios: *también, tampoco, sí, no.*	• La sílaba fuerte.	• Música latinoamericana.

Repaso 2 6-7-8-9-10 **Tarea complementaria: Elaborar un folleto turístico.**

	TEMAS Y VOCABULARIO	OBJETIVOS COMUNICATIVOS	GRAMÁTICA	PRONUNCIACIÓN	DESCUBRE ESPAÑA Y AMÉRICA LATINA
lección 11	• Un día normal. • Acciones habituales (1).	• Hablar de hábitos cotidianos.	• Presente de indicativo, singular: – verbos regulares. – verbos irregulares (*ir, empezar, volver, acostarse, hacer, salir*). • Pronombres reflexivos: *me, te, se.*	• El acento tónico en las formas del presente de indicativo singular.	• Forges y el humor.
lección 12	• El fin de semana. • Deportes y actividades de tiempo libre (2). • Tareas de la casa.	• Hablar de hábitos y actividades del fin de semana. • Decir con qué frecuencia hacemos cosas.	• Presente de indicativo, singular y plural: – verbos regulares. – verbos irregulares (*acostarse, volver, hacer, salir, ir*). • Pronombres reflexivos: *nos, os, se.* • Expresiones de frecuencia.	• *ai–ei.* • El acento tónico en las formas del presente de indicativo plural.	• La teleadicción.
lección 13	• Estados físicos y anímicos. • Partes del cuerpo. • Enfermedades. • Remedios.	• Preguntar a alguien cómo se siente. • Decir cómo se siente uno mismo. • Expresar dolor. • Ofrecer cosas y aceptarlas o rechazarlas. • Hacer sugerencias y aceptarlas o rechazarlas.	• *Muy–mucho.* • Verbo *doler;* formas y sintaxis. • Frases exclamativas: *¡Qué...!* • Presente de indicativo irregular: alternancia *e–ie.*	• Entonación de frases afirmativas, interrogativas y exclamativas.	• Tu ritmo de vida.
lección 14	• Al teléfono. • Espectáculos. • Invitaciones. • Citas.	• Iniciar una conversación telefónica. • Hablar de espectáculos: horarios y lugares. • Hacer una invitación y aceptarla o rechazarla. • Concertar citas.	• *Querer* + infinitivo. • *Poder* + infinitivo. • Presente de indicativo irregular: alternancia *o–ue.*	• Entonación en frases afirmativas e interrogativas.	• Películas de España y América Latina.
lección 15	• Acciones habituales (2). • Actividades de tiempo libre (3).	• Hablar del pasado: expresar lo que hicimos ayer.	• Pretérito indefinido: – verbos regulares. – verbos irregulares (*hacer, venir, ir, ser, estar*).	• Pronunciación de formas verbales en indefinido.	• El nombre de Argentina.

Repaso 3 11-12-13-14-15 **Tarea complementaria: Concertar una cita.**

lección PREPARATORIA

1

Saludos y presentaciones

OBJETIVOS

- Saludar
- Presentarse
- Deletrear
- Despedirse

1 a) Escucha y lee.

- ¡Hola! ¿Cómo te llamas?
- (Me llamo) Sara. ¿Y tú?
- (Yo me llamo) Carlos.

b) Escucha y repite.

c) Practica con tu compañero.

2 Preséntate y saluda a tus compañeros.

- Me llamo... ¿Y tú?
- (Yo me llamo)...
- ¡Hola!
- ¡Hola!

El alfabeto

3 a) Escucha e identifica las letras.

a b c ch d e f g
h i j k l ll m
n ñ o p q r s t
u v w x y z
A B C Ch D E F G
H I J K L Ll M
N Ñ O P Q R S T
U V W X Y Z

b) Escucha y repite.

c) ¿Qué letras no existen en tu lengua? Díselo a tu profesor.

PRONUNCIACIÓN

4 Escucha y marca con una cruz la letra que oigas.

e ☐	i ☐
c ☐	z ☐
v ☐	b ☐
q ☐	k ☐
s ☐	x ☐
h ☐	ch ☐
g ☐	j ☐

5 Escucha y subraya los nombres que oigas.

- Paco
- Paca
- Luisa
- Luis
- Paula
- Pablo
- Félix
- Felisa
- Manuela
- Manolo
- Juana
- Juanjo
- Gema
- Chema

6 a) Lee y subraya nombres y apellidos.

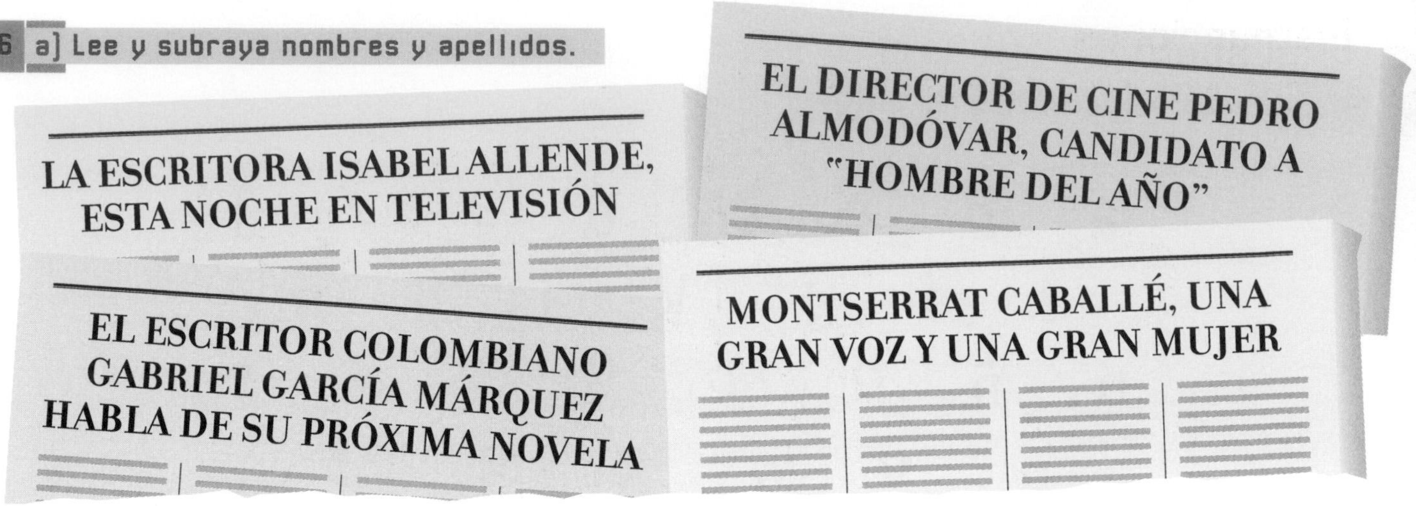
EL DIRECTOR DE CINE PEDRO ALMODÓVAR, CANDIDATO A "HOMBRE DEL AÑO"
LA ESCRITORA ISABEL ALLENDE, ESTA NOCHE EN TELEVISIÓN
EL ESCRITOR COLOMBIANO GABRIEL GARCÍA MÁRQUEZ HABLA DE SU PRÓXIMA NOVELA
MONTSERRAT CABALLÉ, UNA GRAN VOZ Y UNA GRAN MUJER

b) Ahora escribe un nombre y un apellido. Deletréaselos a tu compañero.

Ayudas

7 a) Observa los dibujos.

b) Escucha y repite.

¿Cómo se escribe?
No entiendo. ¿Puedes repetir, por favor?
¿Está bien así?
No.
Sí...

- ¿Cómo se escribe?
- No entiendo. ¿Puedes repetir, por favor?
- ¿Está bien así?
- No.
- Sí.

8 a) Lee los diálogos.

- ¿Cómo te llamas?
- Paul.
- ¿Y de apellido?
- Kruse.
- ¿Cómo se escribe?
- K-R-U-S-E.
- ¿Cómo? ¿Puedes repetir, por favor?
- K-R-U-S-E.
- ¿Está bien así?
- No.

Krusi

- ¿Cómo te llamas?
- Paul.
- ¿Y de apellido?
- Kruse.
- ¿Cómo se escribe?
- K-R-U-S-E.
- ¿Está bien así?
- Sí.

Kruse

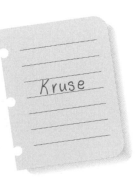

b) Pregunta a tu compañero cómo se llama. Escribe su nombre y apellido.

Instrucciones

9 a] Mira los dibujos, escucha y lee.

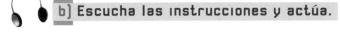

b] Escucha las instrucciones y actúa.

10 a] Mira el dibujo.

b] Ahora despídete de tus compañeros.

Descubre España y Amé

PALABRAS INTERNACIONALES

1 a) Observa las fotos y lee las palabras.

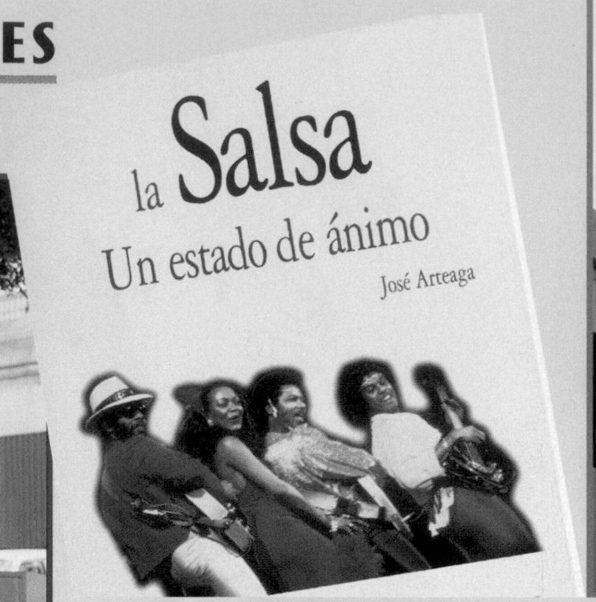

tango

b) Di las palabras en voz alta.

c) Escucha y comprueba.

rica Latina

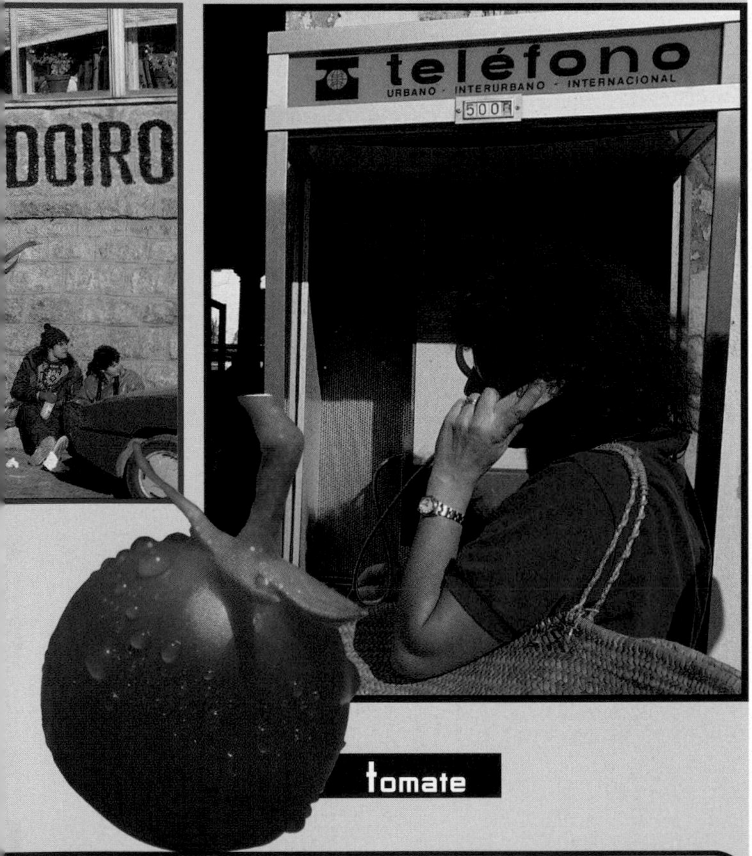

d) ¿Cuáles de esas palabras crees que son de origen latinoamericano?

e) ¿Conoces otras palabras en español? Escríbelas.

RECUERDA

COMUNICACIÓN

Saludar

- ¡Hola!
- Buenos días.
- Buenas tardes.
- Buenas noches.

Despedirse

- ¡Adiós!
- Hasta mañana.

Preguntar y decir el nombre

□ ¿Cómo te llamas?
○ (Me llamo) Ana.

GRAMÁTICA

Pronombres personales sujeto

Singular	
1.ª persona	2.ª persona
yo	*tú*

(Ver resumen gramatical, apartado 8.1)

Verbo *llamarse*: presente de indicativo

- *(Yo)* Me llamo.
- *(Tú)* Te llamas.

(Ver resumen gramatical, apartados 7.1.1 y 8.3)

COMUNICACIÓN

Ayudas

- ¿Cómo se escribe?
- No entiendo.
- ¿Puedes repetir, por favor?
- ¿Está bien así?

lección
PREPARATORIA
2

Origen y procedencia

OBJETIVOS
- Preguntar y decir la nacionalidad
- Preguntar y decir qué lenguas se hablan
- Pedir información léxica y ortográfica

1 ¿Qué países te sugieren estos nombres?

A. Paola
B. Carmen
C. Cécile
D. Ingemar
E. Helmut
F. Masako
G. Mohammed
H. Sally
I. João

1. Japón
2. Portugal
3. Argentina
4. Italia
5. Estados Unidos
6. Suiza
7. Suecia
8. Egipto
9. Inglaterra (Reino Unido)
10. Francia
11. Holanda (Países Bajos)
12. España
13. Alemania
14. México
15. Brasil

Paola → *Italia.*

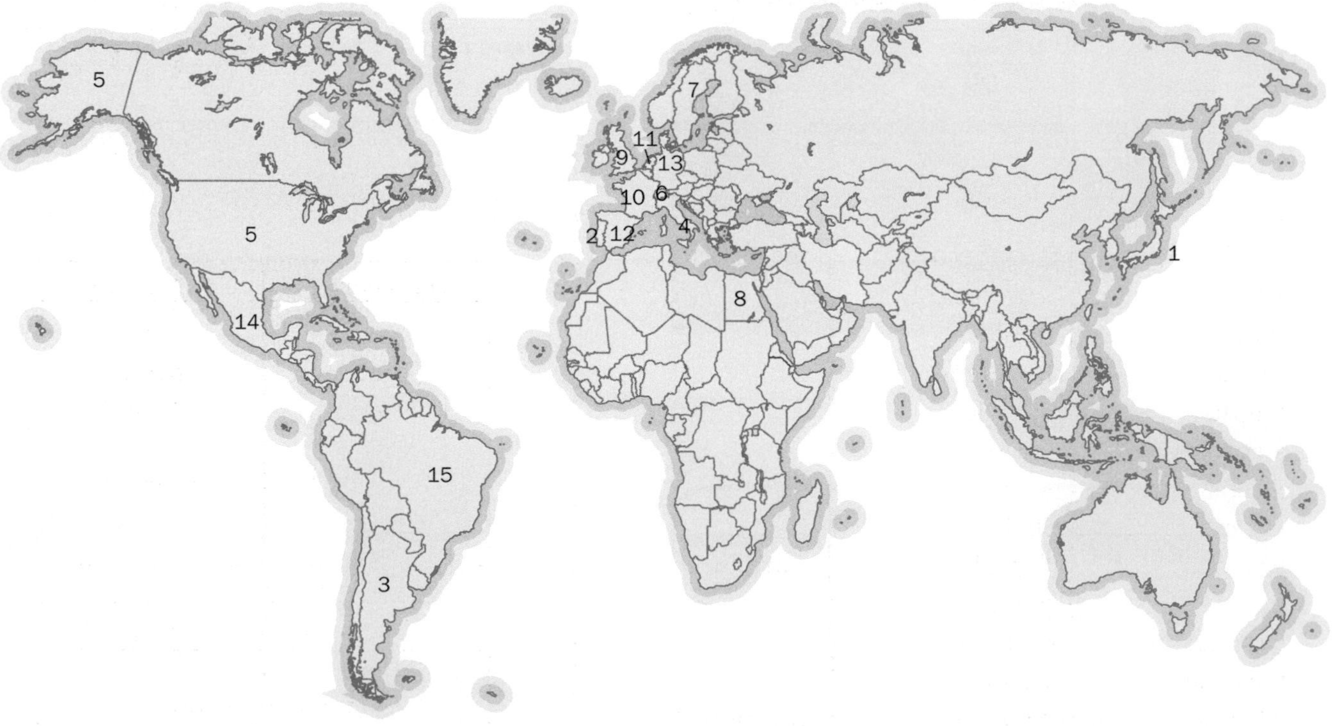

PRONUNCIACIÓN

El acento

2 a) Intenta leer los nombres de estos países.

Japón
Portugal

Argentina
Italia
Suiza
Suecia
Egipto
Inglaterra
Francia
Holanda
España
Alemania
Estados Unidos

México

b) Escucha y comprueba.

3 Relaciona países con adjetivos de nacionalidad.

PAÍSES	NACIONALIDADES
1. México	A. Sueca
2. Argentina	B. Estadounidense
3. Italia	C. Inglés
4. Estados Unidos	D. Holandesa
5. Suiza	E. Mexicano
6. Suecia	F. Japonés
7. Egipto	G. Española
8. Inglaterra	H. Argentina
9. Francia	I. Francesa
10. Japón	J. Italiana
11. Holanda	K. Portuguesa
12. Portugal	L. Suiza
13. Alemania	M. Egipcia
14. España	N. Brasileño
15. Brasil	Ñ. Alemán

4 Completa la columna.

PAÍS	NACIONALIDAD	
México	mexicano	mexicana
Argentina	argentino	....
Italia	italiano	...
Brasil	brasileño	...
Egipto	egipcio	...
Suiza	suizo	...
Suecia	sueco	...
Inglaterra	inglés	inglesa
Francia	francés	francesa
Japón	japonés	...
Holanda	holandés	...
Portugal	portugués	...
España	español	española
Alemania	alemán	alemana
Estados Unidos	estadounidense	...

FÍJATE EN LA GRAMÁTICA

Adjetivos de nacionalidad: género

Masculino	Femenino
-o (suiz**o**) (mexican**o**)	*-a* (suiz**a**) (mexican**a**)
-consonante ingl**és**	-consonante + ***a*** ingl**esa**

Masculino y femenino
-e (estadounidens**e**)

5 a) Lee el diálogo.

- ¿De dónde eres?
- Soy francesa, de París. ¿Y tú?
- (Yo soy) Alemán, de Frankfurt.

b) Ahora practica con tus compañeros.

6 ¿De dónde es? Mira las fotos y pregunta a tu compañero.

- ¿De dónde es Carlos Fuentes?
- Es mexicano. ¿Y Antonio Banderas?
- Es español. / No sé.

• Luciano Pavarotti

• Carlos Fuentes

• Antonio Banderas

• Catherine Deneuve

• Julia Roberts

• Sonia Braga

7 a) Lee el diálogo.

- ¿Qué lenguas hablas?
- (Hablo) Español y francés. ¿Y tú?
- (Yo hablo) Español, inglés y alemán.

b) Escucha y repite.

c) Ahora practica con tu compañero.

8 Pregunta a tu compañero la lengua que se habla en:

- Jamaica.
- Mónaco.
- Nicaragua.
- Brasil.
- Nueva Zelanda.
- San Marino.
- Colombia.
- Uruguay.
- Austria.

- ¿Qué lengua se habla en Jamaica?
- (Se habla) Inglés. / No sé.

Ayudas

9 a) Observa estos dibujos.

b) Escucha y repite.

- ¿Cómo se dice «nice» en español?
- No sé.
- Más despacio, por favor.
- Más alto, por favor.

10 Escucha y actúa.

11 Elige dos palabras de tu lengua y pregunta a tu compañero cómo se dicen y cómo se escriben en español. Estas frases te servirán de ayuda:

Se dice...

¿Cómo se escribe?

Más despacio, por favor.

No sé.

¿Está bien así?

Sí.

No.

Más alto, por favor.

¿Cómo se dice... en español?

Los números del 0 al 20

12 a) Escucha y lee los números.

0 Cero
1 Uno
2 Dos
3 Tres
4 Cuatro
5 Cinco
6 Seis
7 Siete
8 Ocho
9 Nueve
10 Diez
11 Once
12 Doce
13 Trece
14 Catorce
15 Quince
16 Dieciséis
17 Diecisiete
18 Dieciocho
19 Diecinueve
20 Veinte

b) Escucha y repite.

13 a) Completa el cartón de bingo con números del 0 al 20.

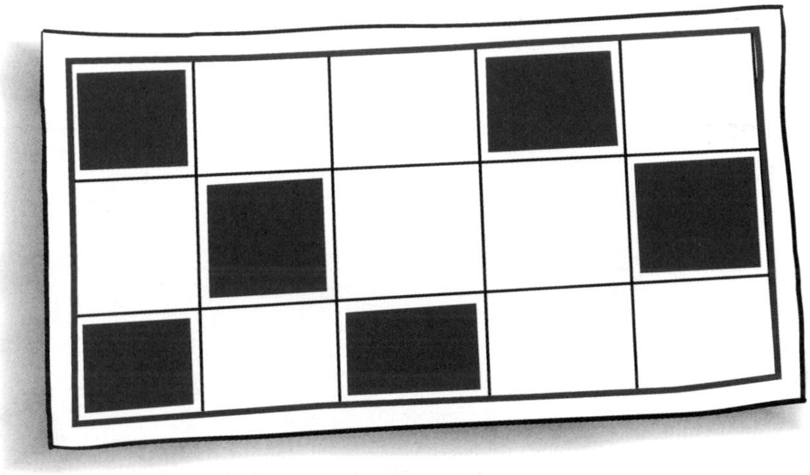

b) Escucha y marca los números que oigas. Si completas el cartón, di: ¡Bingo!

14 a) Escribe ocho números del 0 al 20.

b) Díctaselos a tu compañero.

c) Comprobad.

¿Lo tienes claro?

15 a) Lee lo que dice una persona que ha visitado muchos países.

Cuando voy a un país y no conozco su lengua, aprendo algunas palabras y frases útiles para comunicarme con los nativos.

b) Aquí tienes algunas palabras y frases útiles. Pregúntale al profesor qué significan las que no entiendes.

¿Cómo se dice esto...? · Café (con leche). · Cerveza. · Habitación. · Agua. · No. · Perdón. · Sí. · Por favor. · ¿Cuánto es? · Gracias. · Bien. · Vino.

c) Relaciona una de las frases o palabras anteriores con la siguiente fotografía.

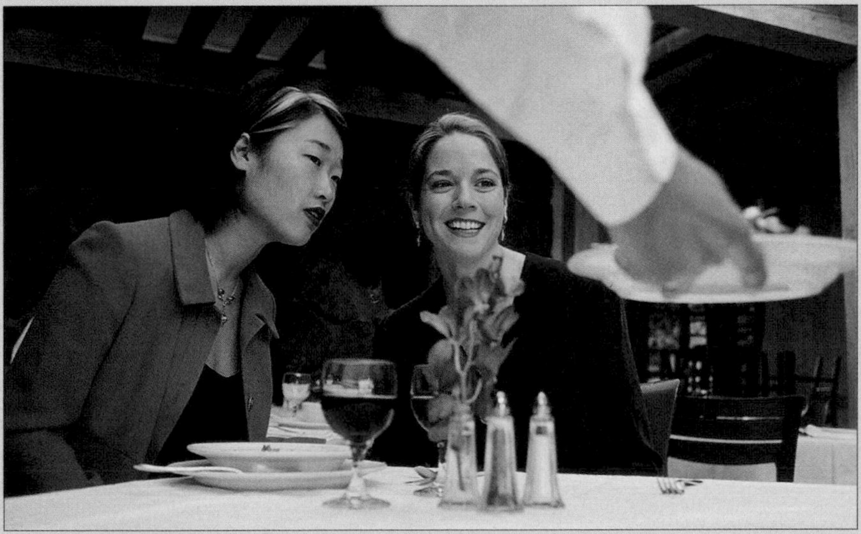

d) ¿Qué otras palabras de las anteriores asocias a un bar?

e) Si necesitas alguna palabra o frase en español, pregúntaselas al profesor.

EL ESPAÑOL EN EL MUNDO

1 a) Antes de leer. ¿VERDADERO O FALSO?

	V	F
1. En todos los países de Latinoamérica se habla español.	☐	☐
2. Más de trescientos cincuenta millones de personas hablan español.	☐	☐
3. El español es la tercera lengua más hablada del mundo.	☐	☐
4. En España se hablan tres lenguas diferentes.	☐	☐

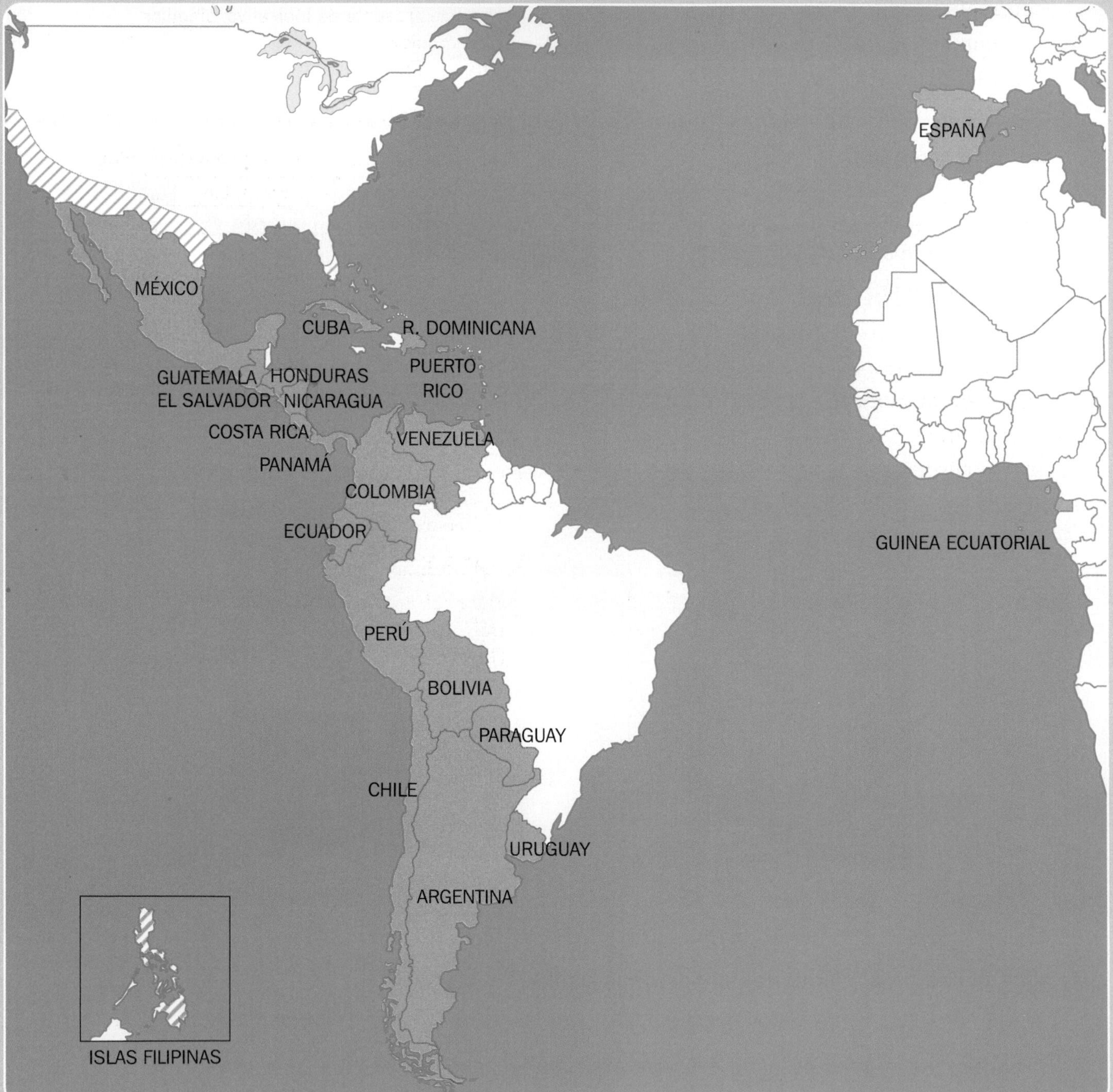

rica Latina

b] Ahora lee el texto y comprueba las respuestas anteriores.

El español, o castellano, es lengua oficial en España, en muchos países de América (Argentina, Bolivia, Chile, Colombia, Cuba, Costa Rica, República Dominicana, Ecuador, Guatemala, Honduras, México, Nicaragua, Panamá, Paraguay, Perú, El Salvador, Uruguay y Venezuela) y en Guinea Ecuatorial. También se habla en la isla de Puerto Rico (donde es oficial junto con el inglés) y en otras zonas de los Estados Unidos, en Filipinas y entre la población judía de origen sefardí.

El número de personas que hablan español en el mundo es de unos 400 millones. El español es, por tanto, la tercera lengua más hablada del planeta, después del chino mandarín y del inglés, y la segunda lengua más internacional. Además, el número de estudiantes de español en el mundo es cada vez mayor.

En el Estado español se hablan, además de español o castellano, otras lenguas, como el catalán, el valenciano, el gallego o el vascuence, que también son oficiales en sus respectivos territorios.

c] ¿Hay algo que te sorprenda? Díselo a tus compañeros.

RECUERDA

COMUNICACIÓN

Preguntar y decir la nacionalidad

- □ ¿*De dónde* eres?
- o Soy francesa, de París.

- □ ¿*De dónde* es?
- o Es argentina, de Buenos Aires.

GRAMÁTICA

Pronombres personales sujeto

Él, ella

(Ver resumen gramatical, apartado 8.1)

Verbo *ser*: presente de indicativo, singular

(Yo)	Soy
(Tú)	Eres
(Él/ella)	Es

(Ver resumen gramatical, apartado 7.1.2.1)

El género gramatical: adjetivos de nacionalidad

Masculino	Femenino
–o	*–a*
(suizo) *(mexicano)*	*(suiza)* *(mexicana)*
–consonante	*–consonante + a*
(inglés)	*(inglesa)*

(Ver resumen gramatical, apartado 3.1)

COMUNICACIÓN

Preguntar y decir qué lenguas se hablan

- □ ¿*Qué* lenguas hablas?
- o (Hablo) Inglés y francés.

GRAMÁTICA

Verbo *hablar*: presente de indicativo, singular

(Yo)	Hablo
(Tú)	Hablas
(Él/ella)	Habla

(Ver resumen gramatical, apartado 7.1.1)

Interrogativos

- ■ **¿*Dónde* + verbo?**
  - □ ¿*Dónde* vives?
  - o En Málaga.
- ■ **¿*Qué* + sustantivo?**
  - □ ¿*Qué* lenguas hablas?
  - o Inglés y alemán.

(Ver resumen gramatical, apartados 9.4 y 9.2.2)

COMUNICACIÓN

Ayudas

- ¿Cómo se dice *thank you* en español?
- Más despacio, por favor. / Más alto, por favor. / No sé.

lección

3

Información personal

OBJETIVOS

- Preguntar y decir la profesión
- Preguntar y decir dónde se trabaja
- Preguntar y decir qué se estudia
- Preguntar y decir la dirección
- Preguntar y decir el número de teléfono

1 Mira las fotos y subraya los nombres de profesiones.

- Ana Ruiz, secretaria

- Carlos Pérez, dependiente

- Luis Milla, camarero

- Javier Soto, periodista

- Marta López, profesora

2 Relaciona profesiones con lugares de trabajo. Puedes usar el diccionario.

• médico →	bar
• camarero	hospital
• profesora	tienda
• dependiente	escuela
• secretaria	periódico
• periodista	oficina

FÍJATE EN LA GRAMÁTICA

Artículo indeterminado

	Masculino		Femenino
Un	bar banco hospital restaurante	*Una*	tienda escuela oficina universidad

3 a) Escucha y lee.

- ¿Qué haces? ¿Estudias o trabajas?
- Soy médico. Trabajo en un hospital. ¿Y tú?
- Yo soy estudiante.
- ¿Qué estudias?
- Psicología.

b) Escucha y repite.

c) ¿Cómo se dice en español tu profesión y el lugar donde estudias o trabajas? Pregunta al profesor si no lo sabes.

d) Habla con tu compañero sobre sus estudios o su trabajo.

4 Pregunta a seis compañeros y completa el cuadro.

	Nombre	Profesión
1		
2		
3		
4		
5		
6		

5 a) Mira los dibujos y lee. ¿Comprendes?

b) Ahora juega con tus compañeros.

Los números del 20 al 100

6 a) Escucha y repite los números.

20	30	40	50	60	70	80	90	100
veinte	treinta	cuarenta	cincuenta	sesenta	setenta	ochenta	noventa	cien

b) Escucha e identifica los números.

21	22	31	32	41	42
veintiuno	veintidós	treinta y uno	treinta y dos	cuarenta y uno	cuarenta y dos

51	52	61	62	71	72
cincuenta y uno	cincuenta y dos	sesenta y uno	sesenta y dos	setenta y uno	setenta y dos

81	82	91	92
ochenta y uno	ochenta y dos	noventa y uno	noventa y dos

c) Di estos números: 25 - 44 - 83 - 96 - 37 - 58 - 69 - 75.

7 Escucha los diálogos y elige el número correcto.

A. 50 – 15 B. 14 – 41 C. 2 – 12 D. 30 – 13 E. 91 – 19 F. 76 – 67 G. 18 – 80 H. 16 – 60

La dirección

8 a) Lee las cartas y subraya las abreviaturas de «calle», «plaza», «avenida», «número» y «paseo».

Silvia Costa
P.° Ruiseñores, n.° 25, 4.°C
50006 ZARAGOZA

Tomás Pinto
Avda. Juan Sebastian Bach, 238
Comuna San Joaquín
Santiago (CHILE)

Instituto Catalán
Pza. de la Poesía 18, ático A
08035 BARCELONA

Fernando Ojeda
C/Goya, 97
Ituzaingó
1714 provincia de Buenos Aires
ARGENTINA

b) ¿VERDADERO O FALSO?

	V	F
1. El Instituto Catalán está en la plaza de la Poesía.	☐	☐
2. La dirección de Silvia es calle de Ruiseñores, 25, 4.° C	☐	☐
3. Fernando vive en el número 97 de la avenida de Goya.	☐	☐
4. Tomás no vive en Barcelona.	☐	☐
5. El código postal de Fernando es el 17014.	☐	☐

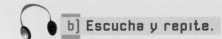

PRONUNCIACIÓN

Entonación

9 a) Escucha y lee.

- ¿Dónde vives?
- (Vivo) En la calle de la Libertad.
- ¿En qué número?
- En el 25. Y tú, ¿dónde vives?
- En la calle Galileo, número 40.

b) Escucha y repite.

c) Pregunta a tus compañeros.

10 a) Mira el dibujo y lee.

El teléfono del cine América, por favor.
Gracias.

El noventa y uno-cuatro-once--veinticinco-cuarenta y cinco.

b) Escucha las cuatro conversaciones y escribe los números de teléfono.

	Nombre	Número de teléfono
a.	Aeropuerto	91 205 83 43
b.	Estación de autobuses	
c.	Luis Martínez Castro	
d.	Hospital Ramón y Cajal	

11 En parejas. ¿Cuál es el teléfono?

Alumno A

1. Pide al alumno B los números de teléfono que no tienes y escríbelos.

¿Cuál es el teléfono de los bomberos?

2. Comprueba con tu compañero.

Alumno B

1. Responde a tu compañero. Después pídele los números de teléfono que no tienes y escríbelos.

¿Cuál es el teléfono de la policía?

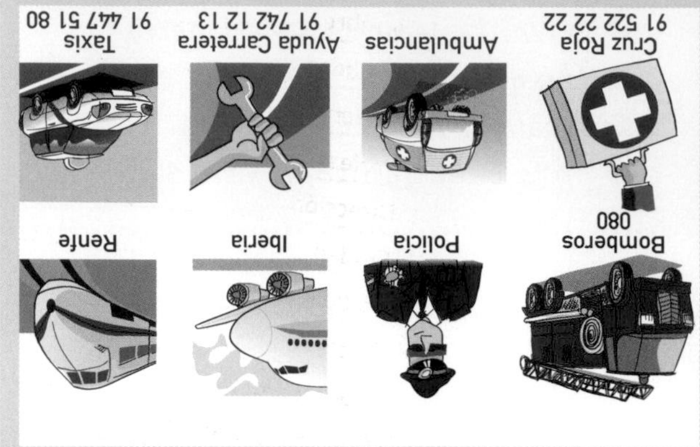

2. Comprueba con tu compañero.

12 Observa estas tarjetas y responde a las preguntas.

JAVIER MOLINA

C/ Covaleda, 51 – 2.° A
28044 Madrid
ESPAÑA
jmolina@hispanica.es

Tel.: 91 327 38 46
Móvil: 619 24 45 72
Fax: 91 327 45 69

EL SOL

Agencia de viajes - Patricia Moreno - Directora

Avda. Pocuro, 1074
Comuna Providencia
Santiago (CHILE)

Fono: 26 55 32
Fax: 26 51 69
elsol@entelchile.net

1) ¿Cuál es el teléfono de Javier?
2) ¿Tiene móvil?
3) ¿Qué dirección de correo electrónico tiene *El Sol*?
4) ¿Qué fax tiene?

13 a) Escucha y lee.

1

- *¿Qué (número de) teléfono tienes?*
- *El 96 428 41 46. ¿Y tú?*
- *Es un móvil: el 669 20 78 35.*

2

- *¿Tienes fax?*
- *No, pero tengo correo electrónico.*
- *¿Y cuál es tu dirección de correo electrónico?*
- *jlmedina@hispanica.es*

b) Escucha y repite.

c) Practica con tus compañeros.

¿Lo tienes claro?

14 **Escucha y completa la ficha.**

CENTRO DE ESTUDIOS FOTOGRÁFICOS

Nombre	Miguel
Apellidos	Ruiz
Nacionalidad	
Profesión	
Dirección	
Ciudad	Madrid
Código postal	
Teléfono	91 213 53 54
Teléfono móvil	
Correo electrónico	

15 **a) Imagina que eres un famoso y completa esta ficha. Inventa los datos que necesites.**

FICHA

Nombre	
Apellidos	
Nacionalidad	
Profesión	
Dirección	
Ciudad	
Código postal	
Teléfono	
Teléfono móvil	
Correo electrónico	

b) Habla con «otro famoso» y pídele sus datos personales. Escríbelos.

c) Comprobad.

EL TRABAJO EN ESPAÑA

1 a) Observa el gráfico sobre las actividades profesionales desempeñadas en España. Pregúntale al profesor qué significan las palabras que no entiendas.

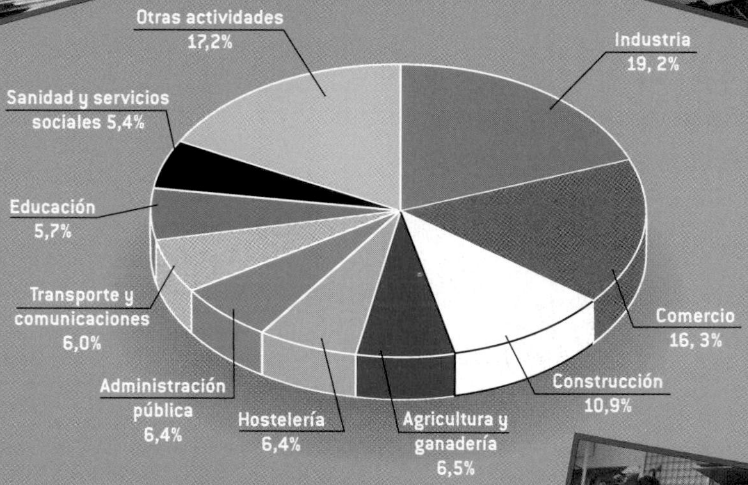

Boletín Mensual de Estadística 104/ 105

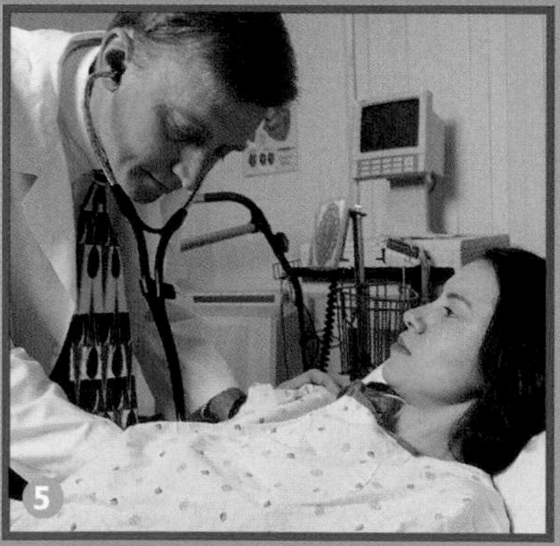

b) Relaciona las fotos con las actividades profesionales del gráfico.

1 → *Educación*

c] Asegúrate de que entiendes estos nombres de lugares de trabajo.

- tienda
- colegio
- fábrica
- oficina
- restaurante
- hospital
- campo

d] Relaciónalos con las fotos.

tienda → F

e] Ahora piensa en las actividades profesionales de tu país.
¿Crees que hay muchas diferencias con España? Díselo a tus compañeros.

RECUERDA

COMUNICACIÓN

Preguntar y decir la profesión
- ☐ ¿Qué haces?
- ○ Soy médico.

GRAMÁTICA

Género del sustantivo: masculino y femenino
Médico, escuela, estudiante.
(Ver resumen gramatical, apartado 2.1)

COMUNICACIÓN

Preguntar y decir dónde se trabaja
- ☐ ¿Dónde trabajas?
- ○ *(Trabajo) En un hospital.*

Preguntar y decir qué se estudia
- ☐ ¿Qué estudias?
- ○ (Estudio) Psicología.

GRAMÁTICA

Artículos indeterminados, singular

Masculino	Femenino
Un (un banco)	*Una* (una tienda)

(Ver resumen gramatical, apartado 4.2)

Presente de indicativo, singular

Verbo *trabajar*		Verbo *estudiar*	
(Yo)	Trabajo	*(Yo)*	Estudio
(Tú)	Trabajas	*(Tú)*	Estudias
(Él/ella)	Trabaja	*(Él/ella)*	Estudia

(Ver resumen gramatical, apartado 7.1.1)

Interrogativos
- ¿*Qué* + verbo?
  (Ver resumen gramatical, apartado 9.2.1)
- ¿*Cuál* + verbo?
  (Ver resumen gramatical, apartado 9.3)

COMUNICACIÓN

Preguntar y decir la dirección
- ☐ ¿Dónde vives?
- ○ (Vivo) En la calle del Oso.
- ☐ ¿En qué número?
- ○ En el 23.

Preguntar y decir el número de teléfono
- ☐ ¿Qué (número de) teléfono tienes?
- ○ No tengo teléfono / El 93 318 20 24.

Preguntar y decir la dirección de correo electrónico
- ☐ ¿Cuál es tu dirección de correo electrónico?
- ○ cprados@teleline.es

GRAMÁTICA

Verbo *vivir*		Verbo *tener*	
(Yo)	Vivo	*(Yo)*	Tengo
(Tú)	Vives	*(Tú)*	Tienes
(Él/ella)	Vive	*(Él/ella)*	Tiene

(Ver resumen gramatical, apartado 7.1.1)

(Ver resumen gramatical, apartado 7.1.2.5)

lección

4

¿Tú o usted?

OBJETIVOS

- Presentar a alguien
- Saludar en una presentación
- Responder al saludo

1 Observa los dibujos y responde a la pregunta.

- ¿En qué situación existe una relación formal entre los personajes?

2 Escucha y lee.

1

- Buenos días, señora López. ¿Qué tal está?
- Muy bien, gracias. ¿Y usted?
- Bien también. Mire, le presento a la señorita Molina, la nueva secretaria. La señora López.
- Encantada.
- Mucho gusto.

2

- ¡Hola, Isabel! ¿Qué tal estás?
- Bien. ¿Y tú?
- Muy bien.
- Mira, este es Alberto, un amigo mío. Y esta es Ana, una compañera de trabajo.
- ¡Hola! ¿Qué tal?
- ¡Hola!

3 En grupos de tres. Seguid los modelos anteriores y practicad:

- Un diálogo informal; usad vuestros nombres.
- Un diálogo formal; usad vuestros apellidos.

4 a) Lee los diálogos y cópialos debajo del dibujo correspondiente.

1
- ¿Es usted la señorita Plaza?
- Sí, soy yo.

2
- Adiós, señorita Rubio.
- Hasta mañana, señor Costa.

3
- ¿El señor Cortés, por favor? Soy Antonio Gallego, de S.D.E.
- Un momento, por favor.

4
- Hola, buenos días, señor Sánchez.
- Buenos días, señora Durán.

A

- ....
- ....

B

- ....
- ....

C

- ....
- ....

D

- ....
- ....

b) Escucha y comprueba.

5 Observa de nuevo la actividad 4 y comenta con tu compañero:
¿Cuándo se dice «el señor», «la señora», «la señorita»...?
¿Y «señor», «señora», «señorita»...?

6 ¿Qué dirías en estas situaciones? Escríbelo debajo de cada dibujo.
(Observa las abreviaturas de «señor», «señora» y «señorita».)

Hola Buenos dias Senor Ayala

Es usted la Senorita Gomez?

Adios Senorita Palacios

Buenos dias Senor Calvo
Mire, Le presento la senorita Gracia
encantada

7 Ahora vosotros. En grupos de tres.

- **Alumno A**: *Eres la Sra. Salinas, directora de "Motesa".*
- **Alumno B**: *Eres la Sra. Ruiz, secretaria de la Sra. Salinas.*
- **Alumno C**: *Eres el Sr. Puerta, cliente de "Motesa".*

La directora saluda al cliente y luego presenta a la secretaria y al cliente.

8 Observa el cuadro, después escribe las frases en la columna correspondiente.

FÍJATE EN LA GRAMÁTICA

Tú - Usted

Tú	Usted
¿Cómo **te** llam**as**?	¿Cómo **se** llam**a**?
¿De dónde **eres**?	¿De dónde **es**?
Estudi**as** español, ¿verdad?	Estudi**a** español, ¿verdad?
¿Dónde viv**es**?	¿Dónde viv**e**?
¿Tien**es** teléfono?	¿Tien**e** teléfono?

- ¿Dónde trabajas?
- ¿Habla alemán?
- ¿Y usted?
- Eres americano, ¿no?
- ¿Qué estudia?
- Hablas francés, ¿verdad?
- ¿Qué tal está?
- ¿Es usted la señorita Alonso?
- ¿Qué haces?
- ¿Qué tal estás?
- ¿Eres estudiante?

Tú	Usted
¿Dónde trabajas?	

9 Escucha los cinco diálogos y marca «tú» o «usted».

	Tú	Usted
1		✓
2		✓
3	✓	
4	✓	
5		✓

El sonido /r̄/

10 a) Intenta decir estas palabras. ¿Qué tienen en común?

• *Rosa* • *Perro* • *Roma* • *Corre* • *Enrique* • *Israel* • *Alrededor*

b) Escucha y repite.

c) Pronuncia otra vez las palabras de la actividad anterior.

d) Fíjate en cómo se escribe el sonido /r̄/.

r	*rr*
– Al principio de una palabra. • *Rico* – En el interior de una palabra, después de «l», «n», «s». • *Alrededor* • *Enrique* • *Israel*	– Entre vocales. • *Perro*

11 Ahora lee este trabalenguas en voz alta.

"El perro de Roque no tiene rabo porque Ramón Rodríguez se lo ha robado".

¿Lo tienes claro?

12 Estás en una fiesta muy formal y no conoces a nadie. Hablas con algunas personas y les haces preguntas sobre su nacionalidad, estudios, lenguas que hablan, el lugar donde viven...

USO DE *TÚ*, *USTED* Y *VOS*

1 a) **Lee este texto sobre el uso de *tú*, *usted* y *vos*. Pregúntale al profesor qué significa lo que no entiendas.**

En las relaciones formales se usa *usted* tanto en España como en Hispanoamérica. Sin embargo, en las relaciones informales o de confianza, en España se emplea más *tú*; en Hispanoamérica generalmente se usa mucho más *usted*. Además, el uso de *vos* está generalizado en varios países hispanoamericanos (Argentina, Uruguay y Paraguay son algunos de ellos). Las formas verbales del presente usadas con *vos* en estos países son similares al infinitivo. Aquí tienes algunos ejemplos:

VERBO		*VOS*
Hablar	→	*hablás*
Trabajar	→	*trabajás*
Estudiar	→	*estudiás*
Tener	→	*tenés*
Vivir	→	*vivís*
Ser	→	*sos*

• Puerto de A Coruña (España)

• Plaza de Quito (Ecuador)

• Vista nocturna de Santafé de Bogotá (Colombia)

b) **Lee de nuevo y responde a las preguntas.**

1. ¿Qué se usa en México en las relaciones formales?
2. ¿Qué se emplea en Hispanoamérica en las relaciones informales: *tú* o *usted*?
3. ¿En qué tipo de relaciones se usa *vos*: en las formales o en las informales?
4. ¿Con *vos* y con *tú* se usan las mismas formas verbales del presente?

rica Latina

2 a) Observa lo que se puede decir en la misma situación informal en diferentes países.

¿Qué lenguas hablas?
España
¿Qué lenguas hablás?
Argentina
¿Qué lenguas habla?
Colombia

b) ¿Qué crees que dice en esa situación un ecuatoriano? ¿Y una uruguaya?

3 Completa el cuadro con frases en estilo informal.

Usted	*Tú*	*Vos*
¿Dónde estudia?	....	....
....	¿Qué teléfono tienes?	....
....	....	¿Trabajás en un hospital?
¿Usted es médico?	....	....
....	¿Vives en Caracas?	....

RECUERDA

COMUNICACIÓN

Saludar

- **Formal:** ¿Qué tal está?
- **Informal:** ¿Qué tal (estás)?

Responder al saludo

Formal e informal: *(Muy) Bien, gracias.*

GRAMÁTICA

Pronombres personales sujeto

Tú, usted

(Ver resumen gramatical, apartado 8.1)

COMUNICACIÓN

Presentar a alguien

- **Formal:** Mire, le presento a la señora Vela.
- **Informal:** Mira, esta es Luisa.

Saludar en una presentación

- **Formal e informal:** Encantado (a) / Mucho gusto.
- **Informal:** ¡Hola! (¿Qué tal?) / ¡Hola!

GRAMÁTICA

Artículos determinados, singular

El, la

(Ver resumen gramatical, apartado 4.1)

Al (*a* + *el*) (Mire, le presento al señor Pérez.)

Pronombres demostrativos, singular

Este, esta

(Ver resumen gramatical, apartado 6.2)

Presente de indicativo

Verbo	*Tú*	*Usted*
ser	eres	es
estar	estás	está
llamarse	te llamas	se llama
hablar	hablas	habla
trabajar	trabajas	trabaja
estudiar	estudias	estudia
vivir	vives	vive
tener	tienes	tiene

lección

5

Mi familia

OBJETIVOS

- Hablar sobre la familia
- Pedir y dar información sobre el estado civil y la edad
- Describir físicamente a una persona
- Hablar del carácter de una persona
- Identificar a una persona

1 **Mira este dibujo de la familia Chicote y lee las frases que hay a continuación. Subraya los nombres de parentesco y tradúcelos a tu lengua.**

- La mujer de Pablo se llama Ana.
- Carlos es hijo de Ana.
- Marta y Gloria son hermanas de Carlos.
- Gloria es tía de Mercedes.
- Felipe es sobrino de Carlos y Gloria.
- El nieto de Ana se llama Felipe.
- Pablo es abuelo de Mercedes y Felipe.
- El padre de Felipe y Mercedes se llama Juan.

FÍJATE EN LA GRAMÁTICA

Artículo determinado

Masculino			Femenino		
El	padre marido hijo hermano	tío sobrino abuelo nieto	*La*	madre mujer hija hermana	tía sobrina abuela nieta

2 **a)** Di el nombre de los miembros de la familia Chicote.

- Es el marido de Ana.
- Es la madre de Mercedes.
- Es la abuela de Felipe.
- Tiene dos hermanas.

b) Escribe algunas frases y léeselas a tu compañero. ¿Sabe quién es?

Es la hermana de Gloria.
Marta.

3 Lee el texto y completa el árbol familiar con estos nombres.

- Ángel
- Julia
- Lucía
- Javier
- Carmen
- Sara
- Diego

Antonio y Lucía tienen un hijo, Ángel, que es el mayor, y dos hijas, Carmen y Sara. Ángel y Sara están solteros. En cambio, Carmen está casada con Diego y tienen un hijo, Javier, y una hija, Julia, que son sobrinos de Ángel y Sara.

Antonio Lucía

Ángel Carmen Diego Sara

Javier Julia

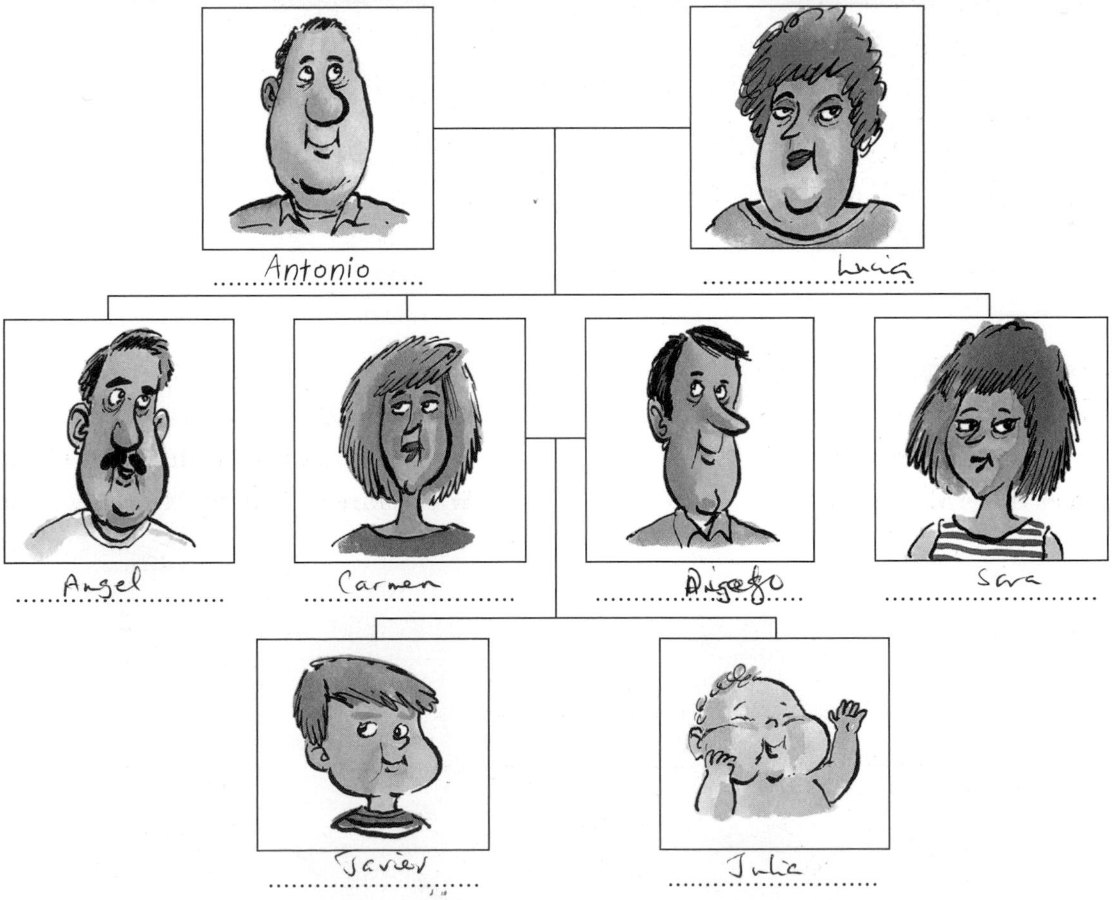

4 Escucha y di qué miembro de la familia de la actividad 3 está hablando.

5 Escucha y lee. ¿Entiendes todo?

Encuestadora	¿Estás casado?
Ramón	Sí.
Encuestadora	¿A qué te dedicas?
Ramón	Soy ingeniero.
Encuestadora	¿Y tu mujer?
Ramón	Es azafata.
Encuestadora	¿Tenéis hijos?
Ramón	Sí, tenemos una hija.
Encuestadora	¿Cuántos años tiene?
Ramón	Tres.
Encuestadora	¿Tienes hermanos?
Ramón	Un hermano y una hermana.
Encuestadora	¿Y a qué se dedican?
Ramón	Estudian periodismo los dos.
Encuestadora	¿Y tus padres?
Ramón	Mi padre es abogado, y mi madre, enfermera.

PRONUNCIACIÓN

Entonación

6 a) Intenta decirlo.

- ¿A qué te dedicas?
- ¿Y tu mujer?
- ¿Tenéis hijos?
- Tenemos una hija.
- ¿Cuántos años tiene tu hija?
- ¿Tienes hermanos?

b) Escucha y comprueba.

FÍJATE EN LA GRAMÁTICA

Presente de indicativo

Escribe las formas verbales que faltan.

Singular	Plural
tengo	*tenemos*
tienes	....
tiene	....
es	....
está	....
estudia	....
se dedica	....

7 **Escucha esta entrevista para una encuesta y completa la ficha.**

Ficha de encuesta

ESTADO CIVIL	casada
NÚMERO DE HIJOS	una
HIJAS	
PROFESIÓN	maestra
PROFESIÓN DEL MARIDO	prof inglés
DE LA MUJER	
PROFESIÓN DE LOS HIJOS	
DE LAS HIJAS	
NÚMERO DE HERMANOS	
HERMANAS	dos
PROFESIÓN DE LOS HERMANOS	
DE LAS HERMANAS	
PROFESIÓN DEL PADRE	está jubilado
DE LA MADRE	

8 a] **Haz una ficha como la de la actividad 7 y complétala. No olvides poner tu edad y la de tus familiares. Puedes usar el diccionario.**

b] **Haz preguntas a tu compañero sobre él y su familia. Escribe sus respuestas en un papel.**

- ¿Estás casado?
- Sí.
- ¿Tienes hijos?
- Sí, un hijo.

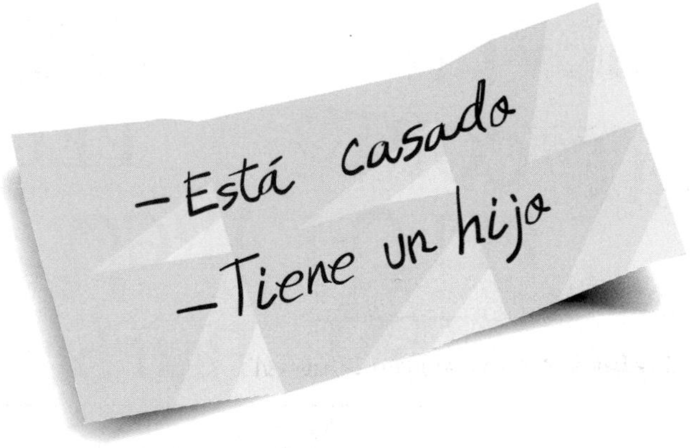
–Está casado
–Tiene un hijo

c] **Dale el papel con las respuestas al profesor y pídele el papel de otro compañero.**

d] **Lee en voz alta el papel que te ha dado el profesor hasta que otro alumno reconozca a su familia.**

Ejemplo: –Está casado, es profesor y tiene un hijo de 8 años. Tiene una hermana de 29 años. Su mujer es periodista...
–¡Es mi familia!

9 **Completa esta carta.**

Paco, un estudiante español, va a pasar unos días en tu casa. Tú le escribes una carta y le hablas de tu familia. Puedes usar el diccionario.

(lugar, fecha)
....

¡Hola, Paco!
Muchas gracias por tu carta. Me alegra saber que vienes a mi casa el próximo verano.
Mi familia es ....
....
....
....
Hasta pronto
(Firma)
....

Descripción de personas

10 **a) Lee estas palabras. ¿Las entiendes?**

gordo delgado rubio moreno GUAPO FEO
JOVEN VIEJO OJOS NEGROS BIGOTE
PELO CORTO PELO RIZADO
PELO LARGO ALTO GAFAS
PELO LISO Barba BAJO

b) Usa las palabras necesarias para describir a estas dos personas.

- Alta, ...
- Bajo, ...

11 Relaciona las descripciones con las fotos.

A • Penélope Cruz, actriz

B • Sergio García, jugador de golf

C • Isabel Allende, escritora

D • Federico Luppi, actor

1. Es muy joven y tiene los ojos marrones. No es muy alto.
2. Es alto, delgado y bastante guapo. Tiene el pelo blanco y liso. Es un poco viejo y lleva bigote.
3. Tiene el pelo castaño, liso y muy largo. Es delgada y muy joven. Tiene los ojos marrones.
4. De pelo castaño y liso, tiene los ojos marrones. Es alta, ni gorda ni delgada, y no es joven.

12 a) Escribe las palabras de la actividad 10 en la columna correspondiente.

Es	*Tiene*	*Lleva*
joven	ojos azules	gafas

b) Describe a una persona de la clase y no digas su nombre. ¿Saben tus compañeros quién es?

13 a) Lee este titular de un periódico.

CARMEN ALEGRE, la mujer del famoso industrial Roberto Duros, abandona a su marido
El mayordomo, testigo de la fuga

b) Ahora escucha la conversación entre Roberto y el mayordomo y di cuál de estos cuatro hombres es el amigo de Carmen.

c) Piensa en una persona del apartado anterior y descríbesela a tu compañero. ¿Sabe quién es?

14 a) Lee estas palabras y pregunta al profesor lo que significan.

Inteligente | Tonto | Serio | Gracioso | Simpático | Antipático

b) Piensa en un personaje famoso que puedas describir con dos o tres palabras de la actividad 14 a).

c) Ahora descríbeselo a tus compañeros. Háblales de:

- Su profesión
- Su nacionalidad
- Su aspecto
- Su carácter

¿Saben quién es?

- *Es un cantante español. Es moreno y muy alto. Tiene los ojos marrones. Es muy serio y...*
- *¿Es...?*

¿Lo tienes claro?

15 **Enseña una foto de tu familia a tu compañero. Explícale quién es, a qué se dedica y cómo es cada uno de tus familiares.**

Enero de 2001 ...en los Pirineos

- Mira, una foto de mi familia.
- A ver...
- Esta es...
- Y este, ¿quién es?

Descubre España y Amé

LA POBLACIÓN DE AMÉRICA LATINA

1 a) Busca en el diccionario estas palabras, que sirven para hablar de los habitantes de América Latina.

Indio/a · Blanco/a · Mestizo/a · Mulato/a · Negro/a

b) Relaciónalas con las fotos.

1 - *Mestiza*

1

2

3

4

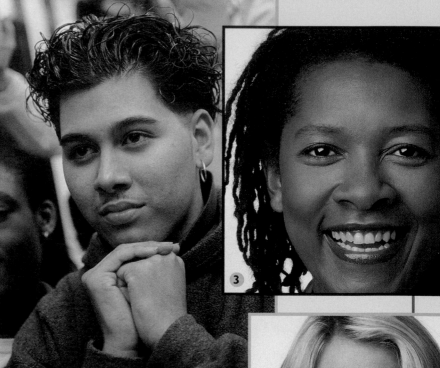

2 a) Lee este texto. Puedes usar el diccionario.

Internacional

LA POBLACIÓN DE AMÉRICA LATINA

La población de América Latina está aumentando mucho y es muy joven: más de la tercera parte de sus habitantes tiene menos de 15 años. Es de diferentes razas y podemos distinguir los siguientes grupos:

- **Los indios americanos**, de origen asiático (pasaron de Asia a América por el estrecho de Bering). En países como Guatemala, Ecuador, Perú, Bolivia o México son una parte importante de la población.
- **Los blancos**, de origen europeo. En Uruguay, Chile, Argentina o Costa Rica forman una gran mayoría.
- **Los mestizos**, mezcla de indio y blanco, son el grupo mayoritario en muchos países de América Latina: en Honduras, El Salvador, México, Nicaragua, Paraguay y Venezuela, por ejemplo.
- **Los negros**, llevados desde África durante más de 300 años para trabajar como esclavos. Viven principalmente en Cuba, Puerto Rico, República Dominicana, Panamá, Colombia y Venezuela.
- **Los mulatos**, mezcla de negro y blanco, viven en los mismos países que los negros.

b) ¿VERDADERO O FALSO?

	V	F
1. En América Latina hay muchos niños.	☐	☐
2. Los indios que viven en América Latina son de origen americano.	☐	☐
3. Los padres de una mestiza son de origen indio y blanco.	☐	☐
4. La mayoría de las argentinas son negras.	☐	☐
5. Los latinoamericanos negros son de origen estadounidense.	☐	☐
6. En Cuba hay muchos mulatos.	☐	☐

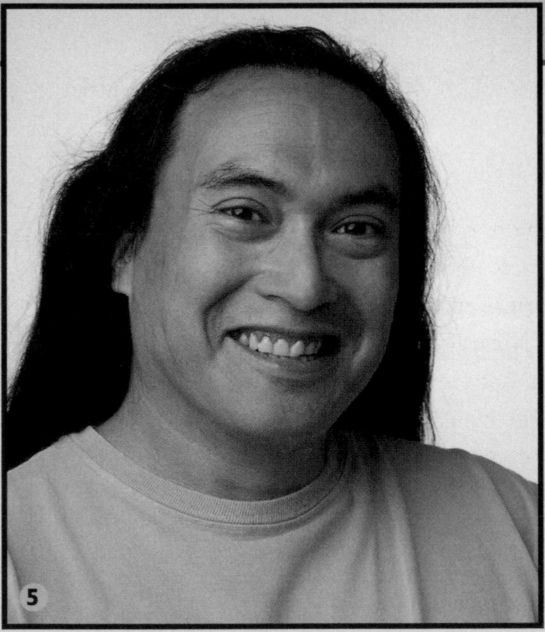

5

c) Comenta con tus compañeros las informaciones que te parezcan más interesantes.

RECUERDA

COMUNICACIÓN

Pedir y dar información sobre

- **El estado civil**
  - ☐ ¿Estás casado?
  - ○ No. (Estoy) Soltero. / Sí.
- **La familia**
  - ☐ ¿Tienes hermanos?
  - ○ Sí, una hermana. / No.
- **La edad**
  - ☐ ¿Cuántos años tiene tu hijo?
  - ○ Cuatro.

GRAMÁTICA

Presente de indicativo

Verbo *estar*

(Ver resumen gramatical, apartado 7.1.2.1)

Verbo *tener*

(Ver resumen gramatical, apartado 7.1.2.5.)

COMUNICACIÓN

Describir físicamente a una persona

- ☐ ¿Cómo es tu profesor?
- ○ Es alto, tiene los ojos negros y lleva barba.

Hablar del carácter de una persona

- ○ Mi hija Lucía es muy simpática.

Identificar a una persona

- ☐ ¿Quién es este?
- ○ (Es) Mi hermano mayor.

GRAMÁTICA

El número gramatical: sustantivos y adjetivos calificativos

Singular	Plural
– *o* (sobrino)	– *os* (sobrinos)
– *a* (alta)	– *as* (altas)

(Ver resumen gramatical, apartados 2.2. y 3.2)

Posesivos

mi(s), tu(s), su(s)

(Ver resumen gramatical, apartado 5.1)

Concordancia adjetivo-sustantivo: género y número

- Mi hermano/a es muy guapo/a.
- Mis hermanos/as son muy guapos/as.

Interrogativos

¿Quién?, ¿cuántos(as)?, ¿cómo?

(Ver resumen gramatical, apartados 9.1, 9.6.2 y 9.7.1)

1 UNA NOTICIA

a) Busca en esta noticia del periódico la información siguiente y escríbela.

Juan Manuel Rojo es un empresario uruguayo afincado en Valencia que solo da trabajo a personas mayores de 50 años, a jóvenes en busca de su primer empleo y a padres o madres de familias con más de cuatro hijos. Su empresa, creada en 1984, está dedicada a la fabricación de bicicletas, con resultados «óptimos». Otra particularidad de la empresa es que todo trabajador que deja de fumar ve incrementado su salario en un 5%.

- Un nombre de persona
  Juan Manuel
- El nombre de una ciudad
  ....
- Un apellido
  ....
- Una profesión
  ....
- Tres palabras relacionadas con la familia
  ....
- Una nacionalidad
  ....
- Un lugar de trabajo
  ....

***b)* Escucha a dos amigos comentar esta noticia y numera las palabras de tu lista que oigas.**

2 CUESTIÓN DE LÓGICA

a) Lee este anuncio del periódico y calcula la edad de cada persona.

GANA
¡UN VIAJE DE TRES DÍAS PARA DOS PERSONAS A PARÍS CON TODO PAGADO!

EL PROBLEMA ES EL SIGUIENTE
- Elena, Carmen y Julio son hermanos.
- Carmen es la mayor.
- Elena tiene 59 años.
- Julio tiene 8 años más que Elena.
- La diferencia entre Carmen y Elena es de 12 años.

Telefonea el lunes a las cinco de la tarde al programa «Lo sé» de **Radio Cero** (Tel. 93 435 12 15), di la edad exacta de estas personas y gana.

b) Escucha y comprueba.

c) Escucha de nuevo y responde a estas preguntas sobre el ganador.

- ¿Cómo se llama?
- ¿De dónde es?
- ¿Cuántos años tiene?
- ¿Está casado?

3 PALABRAS, PALABRAS

a) Busca en las lecciones 1-5 y escribe:

- Seis palabras que sean parecidas en tu lengua.
- Seis palabras que te gusten.
- Las seis palabras que usas con más frecuencia.

b) Compara con tu compañero. ¿Coincide alguna?

4 JUEGO DE CONTRARIOS

En parejas. Elige, por turnos, una de estas palabras y dísela a tu compañero. Él/ella tiene que decir lo contrario. Si está bien, obtiene un punto. Gana el que consigue más puntos.

- viejos
- hombre
- casado
- sí
- corto
- menos
- bien
- simpática
- rápido
- grande
- guapo
- seria
- inteligentes
- delgadas
- menor

5 LAS TRES EN RAYA

En grupos de tres. Por turnos, cada alumno elige una frase y hace la pregunta correspondiente. Si está bien, escribe su nombre en esa casilla. Gana el que tiene tres casillas en raya.

Sí, dos hermanos	No sé	Medicina	Alto y lleva barba	Hablo inglés y alemán
De Málaga	No	Inglés y ruso	Es suizo	91 258 40 48
Estudio	En la calle de Jardines	Gloria	En una oficina	Bien, gracias. ¿Y usted?
Fernández	Sí, un hijo y una hija	25	T-O-N-T-O	Es maestra

Preparación de la tarea

a) ¿Sabes quién es Mario Vargas Llosa? Díselo a la clase.

b) Lee este texto sobre él y comprueba.

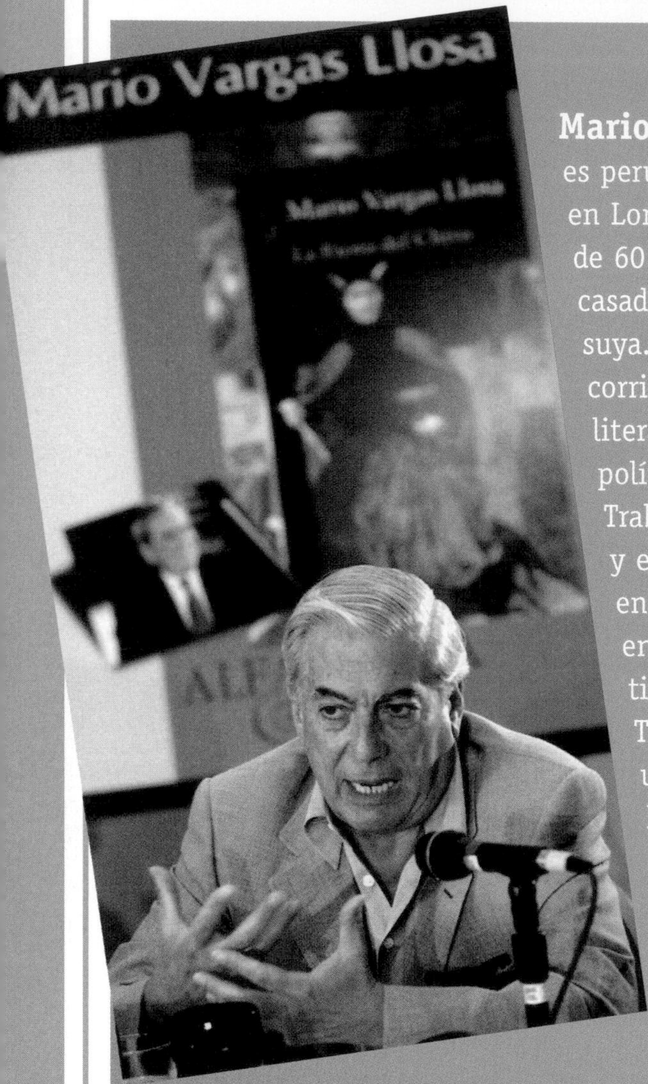

Mario Vargas Llosa es peruano, pero vive en Londres. Tiene más de 60 años. Está casado con una prima suya. Su mujer corrige su obra literaria. Es escritor, político y académico. Trabaja en su casa y escribe novelas, ensayos y artículos en prensa. No tiene hermanos. Tiene dos hijos, un hijo y una hija. Es alto y fuerte. Tiene el pelo gris y liso. Es inteligente y un poco serio.

c) Ahora subraya la opción correcta:

1. Mario Vargas Llosa es suramericano / norteamericano.
2. Tiene su domicilio en Europa / América.
3. Es / no es joven.
4. Tiene una / varias profesiones.
5. No / también escribe en periódicos.
6. Tiene / no tiene una hermana escritora.
7. Es / no es rubio.

En marcha

EN PAREJAS

1 Elige a un compañero al que no conozcas mucho y hazle preguntas para rellenar esta ficha con su información.

		Tu compañero
Nombre		
Apellido		
Domicilio		
Edad		
Estado civil		
Profesión		
Lugar de trabajo		
Estudios		
Hermanos	número	
	profesión	
Hermanas	número	
	profesión	
Hijos		
Hijas		

2 a) **Usa** la información de la ficha y escribe sobre tu compañero. Describe también su carácter y cómo es físicamente.

b) Pasa el texto a tu compañero y corrige el suyo.

c) Comentad los posibles errrores y corregidlos.

3 Reúnete con otros dos compañeros durante un minuto. Un alumno dice la información que tiene sobre su compañero. Si comete un error, los otros alumnos le dicen "¡Para!" y continúa uno de ellos. Gana el que está hablando cuando termina el minuto.

4 Entrega a tu profesor el texto que has escrito para que lo ponga en una pared de la clase.

lección

6 Objetos

OBJETIVOS

- Expresar existencia
- Pedir cosas en una tienda
- Preguntar y decir cuál es la moneda de un país
- Preguntar el precio

1 a) Busca en el diccionario cuatro palabras de esta lista:

- Una mesa.
- Unos sobres.
- Unos libros.
- Una silla.
- Un periódico.
- Unos sellos.
- Un bolso.
- Una agenda.
- Unas llaves.
- Un cuaderno.
- Una postal.
- Un diccionario.
- Unos bolígrafos.
- Una lámpara.
- Un mapa.
- Unas cartas.

b) Pregunta a tus compañeros por el resto.

- *¿Cómo se dice .... en ....?*
- ....
- *No sé.*

2 Observa el dibujo y escribe la palabra correspondiente a cada número.

1 → silla

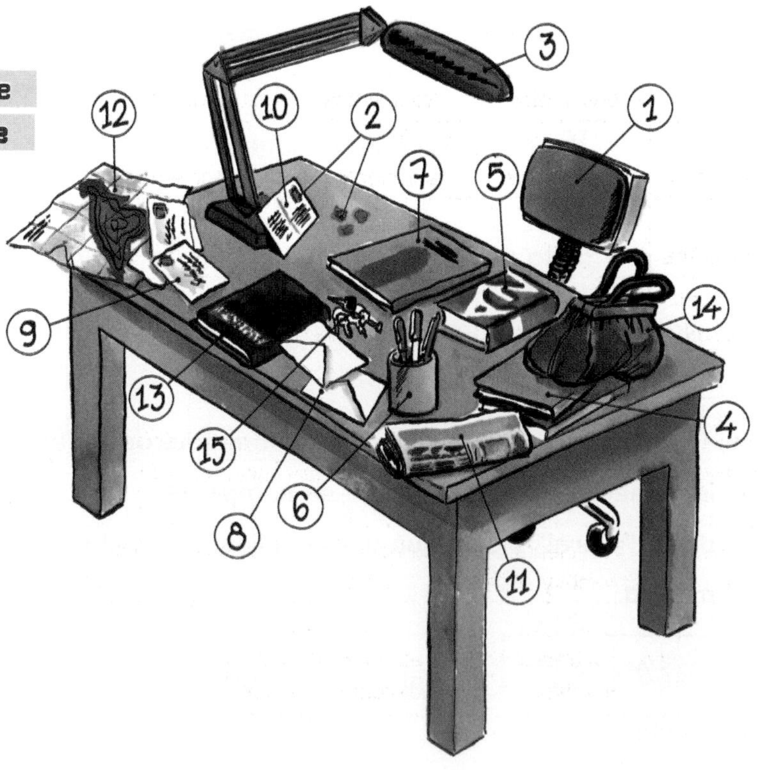

PRONUNCIACIÓN

¿Cuántas sílabas tiene cada palabra?

3 a) Escucha las palabras y escríbelas en la columna correspondiente.

b) Escucha y comprueba.

c) Escucha y repite.

□□ Me sa	□□□ A gen da	□□□□ Pe rió di co

4 ¿Tienes buena memoria?

Tapa el dibujo de la actividad 2 y di qué hay en la mesa.

Hay un mapa
Hay unos bolígrafos

FÍJATE EN LA GRAMÁTICA

Expresar existencia

Hay	Un periódico Unos sobres Una agenda Unas cartas Unas postales

Números

5 a) Escucha e identifica los números:

100 cien	**200** doscientos	**300** trescientos	**400** cuatrocientos
500 quinientos	**600** seiscientos	**700** setecientos	**800** ochocientos
900 novecientos	**1.000** mil	**1.100** mil cien	**2.000** dos mil
3.000 tres mil	**101** ciento uno	**210** doscientos diez	**321** trescientos veintiuno
432 cuatrocientos treinta y dos	**543** quinientos cuarenta y tres	**654** seiscientos cincuenta y cuatro	**765** setecientos sesenta y cinco
876 ochocientos setenta y seis	**987** novecientos ochenta y siete	**1.098** mil noventa y ocho	**1.102** mil ciento dos
2.323 dos mil trescientos veintitrés	**3.544** tres mil quinientos cuarenta y cuatro		

b) Escucha y repite.

c) Di estos números en voz alta:

103
215
562
741
954
1.035
2.103
5.374
6.599
9.953

d) ¿Qué diferencias hay con tu lengua?

6 Escucha los diálogos y marca los números que oigas.

a)	270	☐	127	☐
b)	130	☐	1300	☐
c)	912	☐	92	☐
d)	66	☐	616	☐
e)	500	☐	50	☐

Pasa la pelota

7 Piensa un número y dilo en voz alta. Después pasa la pelota a un compañero. El que la reciba tiene que invertir el orden de las cifras.

8 Observa estos billetes y monedas. ¿Cuántos euros hay?

9 a) Mira esta lista y responde a las preguntas:

¿Cuál es la moneda de tu país?
¿Está en la lista?

DIVISAS EN EL MUNDO

Moneda	Comprador	Vendedor
Bolívares venezolanos	644,9183	646,1207
Coronas checas	34,8290	34,8720
Coronas danesas	7,4587	7,4657
Coronas eslovacas	43,5778	43,6668
Coronas estonias	15,6344	15,6504
Coronas islandesas	79,7144	79,8412
Coronas noruegas	8,2001	8,2101
Coronas suecas	8,8999	8,9099
Dirhams marroquíes	9,8385	9,8704
Dólares australianos	1,6929	1,6952
Dólares canadienses	1,3902	1,3917
Dólares de Hong Kong	7,1935	7,1969
Dólares de Singapur	1,6062	1,6073
Dólares EE UU	0,9222	0,9227
Dólares neozelandeses	2,1168	2,1216
Forintos húngaros	264,9300	265,2600
Francos suizos	1,5244	1,5261
Lats letones	0,5710	0,5717
Libras esterlinas	0,6307	0,6314
Litas lituanas	3,6884	3,6936
Pesos filipinos	45,0080	45,7660
Pesos mejicanos	8,9214	8,9299
Rands surafricanos	7,2608	7,2732
Reales brasilenos	1,8188	1,8214
Rublos rusos	26,1555	26,1853
Rupias indias	42,8220	42,9420
Yenes japoneses	107,7500	107,8400
Zlotys polacos	3,8091	3,8154

Unidades por cada euro a las 18:00 horas

b) Pregunta a tu compañero cuál es la moneda de su país.

10 **a]** **Mira las fotos y escribe en qué tiendas venden libros, sellos y bolígrafos.**

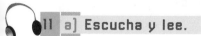

En una librería venden libros.

b] **¿Qué otras cosas venden en estas tiendas? Dilas.**

11 **a]** **Escucha y lee.**

Cliente ● ¿Tienen cuadernos?
Dependiente ● Sí. Mire, aquí están. Tenemos todos estos.
Cliente ● ¿Puedo ver ese rojo?
Dependiente ● ¿Este?
Cliente ● Sí, sí, ese. ¿Cuánto cuesta?
Dependiente ● Un euro con setenta y cuatro céntimos.
Cliente ● Vale. Me lo llevo.

b] **Practica el diálogo con tu compañero.**

FÍJATE EN LA GRAMÁTICA

Adjetivos demostrativos

	Masculino	Femenino
Singular	*Este*	*Esta*
Plural	*Estos*	*Estas*
	Este bolso	Esta revista
	Estos bolsos	Estas revistas

	Masculino	Femenino
Singular	*Ese*	*Esa*
Plural	*Esos*	*Esas*
	Ese diccionario	Esa agenda
	Esos diccionarios	Esas agendas

12 **Observa los dibujos y escribe cada frase en la burbuja correspondiente. Mira el modelo.**

Sí, esas.
¿Estas?
¿Puedo ver esas gafas negras?

¿Este?
Cincuenta y ocho euros con cuarenta y tres céntimos.
¿Cuánto cuesta ese reloj?
Sí.

¿Lo tienes claro?

13 Escucha los dos diálogos y completa el cuadro.

	¿Qué quiere?	¿Cuánto cuesta?	¿Lo compra?
1			
2			

14 Ahora vosotros.

Alumno A

Estás en una papelería y quieres comprar dos cosas, pero solo tienes 5 euros. Decide qué vas a comprar.

Alumno B

Eres el dependiente de una papelería. Piensa en las cosas que vendes y en sus precios.
Luego atiende a los clientes.

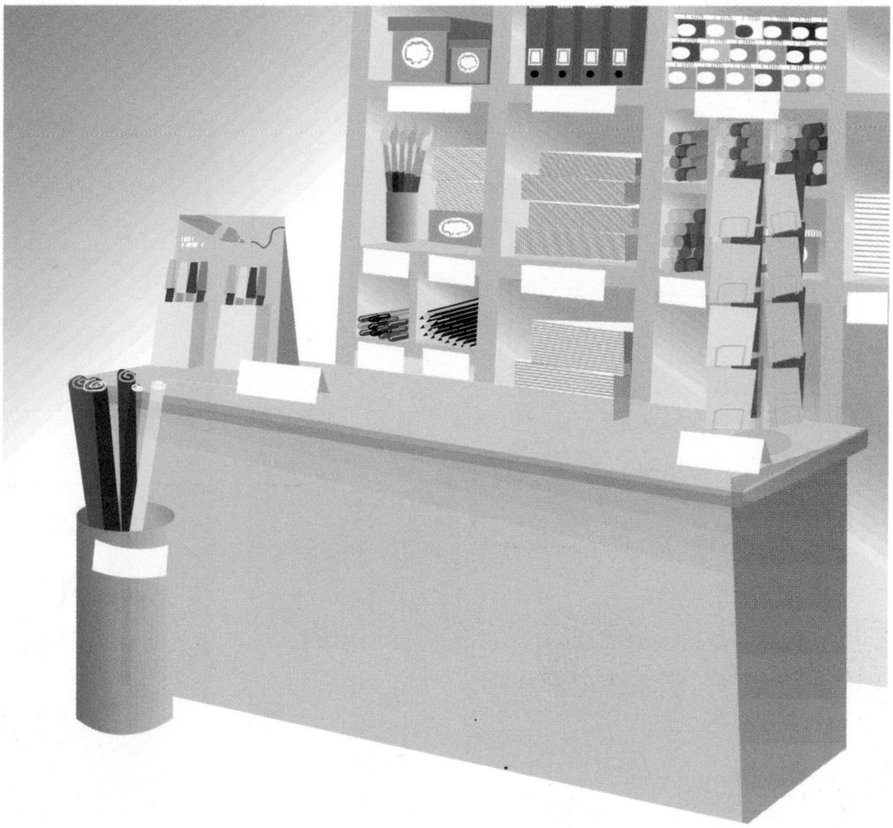

Podéis empezar así:

- Buenos días. ¿Qué desea?
- Buenos días. ¿Tienen...? / Quiero...

LOS MERCADOS DE ARTESANÍA DE PERÚ

1 a) ¿Sabes qué significa la palabra *mercado*?
Observa las fotos y luego lee el texto; puedes usar el diccionario.

En Perú hay una gran cantidad de mercados de artesanía del país. Muchos de ellos están en la calle. Son muy populares, están abiertos de 9.00 a 21.00 y son de origen prehispánico. En ellos venden artesanía contemporánea y reproducciones de objetos tradicionales de las diferentes civilizaciones prehispánicas de Perú, por ejemplo, de la cultura inca (año 1100-1530 d. C.).

Plata

Oro

La artesanía peruana tiene influencias prehispánicas y españolas. Es muy variada, de colores muy vivos y muy creativa.
Allí se puede comprar, entre otras cosas:

- Cerámica de estilo moderno o antiguo.
- Jerséis y ponchos peruanos de muchos colores.
- Objetos de oro y plata.
- Flautas andinas, uno de los mayores símbolos de Perú.

Cerámica

Torito de Pucará

Jersey

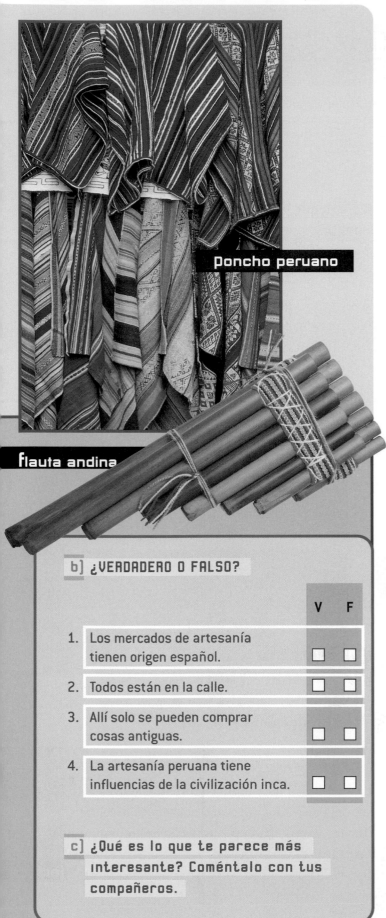

Poncho peruano

flauta andina

b] ¿VERDADERO O FALSO?

		V	F
1.	Los mercados de artesanía tienen origen español.	☐	☐
2.	Todos están en la calle.	☐	☐
3.	Allí solo se pueden comprar cosas antiguas.	☐	☐
4.	La artesanía peruana tiene influencias de la civilización inca.	☐	☐

c] ¿Qué es lo que te parece más interesante? Coméntalo con tus compañeros.

RECUERDA

COMUNICACIÓN

Expresar la existencia de algo
- Hay una revista.
- Hay unos libros.

GRAMÁTICA

Artículos indeterminados

un, una, unos, unas

(Ver resumen gramatical, apartado 4.2)

■ *Hay* + *un/una/unos/unas* + sustantivo
- *Hay* un bolso.
- *Hay* una postal.
- *Hay* unos ponchos.
- *Hay* unas llaves.

(Ver resumen gramatical, apartado 10.1)

COMUNICACIÓN

Pedir cosas en una tienda
- *Quiero* | una agenda.
- *Quería* | una agenda.
- ¿Tienen agendas?
- ¿Puedo ver esa agenda?

GRAMÁTICA

Adjetivos y pronombres demostrativos

este, estos
esta, estas
ese, esos
esa, esas

- ¿Cuánto cuesta este bolígrafo?
- ¿Cuánto cuesta este?

(Ver resumen gramatical, apartado 6)

COMUNICACIÓN

Preguntar y decir cuál es la moneda de un país

□ ¿Cuál es la moneda de tu país?
○ El dólar.

Preguntar el precio de algo
- ¿Cuánto cuesta este diccionario?

GRAMÁTICA

Interrogativos

¿Cuál?, ¿cuánto?

(Ver resumen gramatical, apartados 9.3. y 9.6.1)

lección

7

Mi pueblo Mi ciudad

OBJETIVOS

- Describir una ciudad
- Hablar de la situación geográfica de una ciudad
- Hablar del número de habitantes
- Hablar de los aspectos más relevantes de una ciudad

1 a) Mira las fotos de las ciudades de Barcelona y Antigua. ¿Qué puedes decir de ellas? Busca en el diccionario palabras para describirlas.

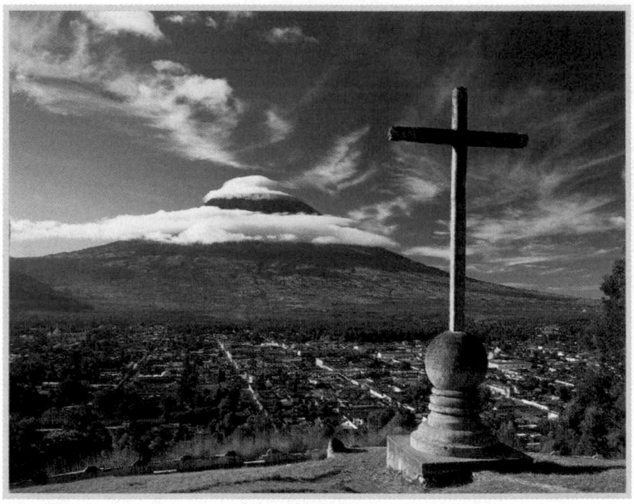

b) Relaciona las fotos de Barcelona y Antigua con los siguientes textos:

1

Está en el noreste de España, no muy lejos de Francia, en la costa mediterránea. Tiene un puerto importante y playa. Es una ciudad de origen antiguo, pero también es muy moderna y dinámica. Es muy grande y tiene monumentos y museos que son famosos en el mundo entero.

2

Es una ciudad muy bonita y tranquila que está en el sur del país y muy cerca del océano Pacífico. Es bastante pequeña, pero tiene muchos monumentos históricos de un gran valor artístico. Hay muchas tiendas para comprar recuerdos porque es una ciudad turística.

2 a) En parejas (A-B). Escribid en cada caso el nombre de una ciudad que tenga esa característica:

- Una ciudad muy grande.
  ....
- Una ciudad turística.
  ....
- Una ciudad que está en la costa.
  ....
- Una ciudad moderna.
  ....
- Una ciudad que está en el sur.
  ....
- Una ciudad con una playa muy bonita.
  ....
- Una ciudad que tiene un museo muy famoso (y el nombre del museo).
  ....
- Una ciudad con un monumento muy famoso (y el nombre del monumento).
  ....
- Una ciudad aburrida.
  ....
- Una ciudad que tiene un parque muy grande (y el nombre del parque).
  ....
- Una ciudad que tiene un río muy famoso (y el nombre del río).
  ....

b) Después, cambiad de parejas (A-A / B-B). Explicadles a vuestros compañeros qué nombres habéis escrito.

FÍJATE EN LA GRAMÁTICA

Ser - Estar

	Ser
¿Cómo es?	• *Barcelona es muy moderna y dinámica.* • *Antigua es una ciudad pequeña y tranquila.*
	Estar
¿Dónde está?	• *Barcelona está en el noreste de España.* • *Antigua está en el sur del país, cerca del océano Pacífico.*

PRONUNCIACIÓN

3 a) Escucha estos nombres de ciudades españolas y escríbelos en la columna correspondiente.

/θ/ (za-ce-ci-zo-zu)	/k/ (ca-que-qui-co-cu)
Zamora …	*Mallorca* …

b) Ahora busca esas ciudades en el mapa de España y comprueba si las has escrito bien.

c) Escucha y repite.

¿Dónde está...?

4 Elige tres ciudades del mapa y pregunta a tu compañero dónde están. Tiene un minuto para buscar cada una de ellas y responder correctamente.

- ¿Dónde está Alicante?
- Está en el sureste de España, en la costa mediterránea, cerca de Murcia.
- Sí.

5 a) ¿*Ser* o *estar*? Completa estas frases con la forma verbal adecuada.

..Es.. muy antigua.
.... en el sur de España.
.... cerca de Sevilla.
No .... una ciudad muy importante.
.... en la costa atlántica.
.... famosa por sus playas.
.... lejos de Madrid.
.... bastante pequeña.
No .... en el centro de España.

b) Mira otra vez el mapa de España y di qué ciudad puede ser.

6 En grupos de tres o cuatro. Un alumno piensa en una ciudad, y los otros le hacen preguntas para adivinar cuál es. Él solo puede responder «sí» o «no».

- ¿Está en Europa?
- Sí.
- ¿Está en el norte de Europa?
- No.
- ¿En el sur de Europa?
- Sí.
- ¿Es una ciudad antigua?
- Sí.

(...)

Más números

7 a) Escucha e identifica los números:

10.000	diez mil	**1.000.000**	un millón
100.000	cien mil	**1.400.000**	un millón cuatrocientos mil
150.000	ciento cincuenta mil	**2.000.000**	dos millones
200.000	doscientos mil	**12.800.000**	doce millones ochocientos mil
960.000	novecientos sesenta mil	**13.970.000**	trece millones novecientos setenta mil

b) Escucha y repite.

c) Di estos números:

200 - 3.000 - 74.000 - 650.000 - 1.250.000 - 831.000 - 2.500.000 - 9.345.000

8 Relaciona:

3.507.000	unos tres millones y medio
4.112.000	dos millones aproximadamente
1.970.000	más de cuatro millones
2.910.002	casi tres millones
460.000	menos de medio millón

9 Pregunta a tu compañero cuál es la capital de su país y cuántos habitantes tiene.

- *¿Cuál es la capital de...?*
- *...*
- *¿Cuántos habitantes tiene?*
- *Más de... / Menos de... / Casi... / ... aproximadamente.*

10 En parejas. Juega con las tarjetas sin mirar la del compañero.

Alumno A

1. Pregunta a tu compañero cuál es la capital de: Perú / Colombia / Nicaragua
   - *¿Cuál es la capital de Perú?*

   Pregúntale también cuántos habitantes tienen y escríbelo.
2. Responde a las preguntas de tu compañero.

3. Comprueba con el mapa de tu compañero.

Alumno B

1. Responde a las preguntas de tu compañero.
2. Pregúntale cuál es la capital de: México / Bolivia / Venezuela

   Pregúntale también cuántos habitantes tienen y escríbelo.

3. Comprueba con el mapa de tu compañero.

11 Lugares famosos. Usa las palabras de la lista de la derecha para decir por qué son famosos estos lugares.

Colombia	Vino
La Rioja	Café
Pamplona	Tabaco
La Mancha	Don Quijote
Málaga	Playas
Cuba	Fiestas de San Fermín

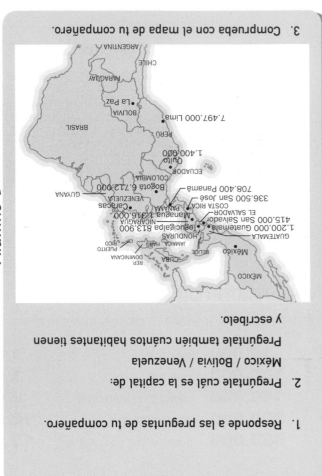

Colombia es famosa por el café.

¿Lo tienes claro?

12 a) Escucha esta conversación y di cuál es la foto que corresponde a la ciudad o al pueblo del que están hablando.

1

2

3

b) Escucha otra vez y completa el cuadro.

NOMBRE de la población	
SITUACIÓN	
NÚMERO DE HABITANTES	
¿CÓMO ES?	
ES FAMOSA POR...	
¿QUÉ TIENE?	

13 a) Lee estos significados de la palabra *pueblo* y subraya el que has estudiado.

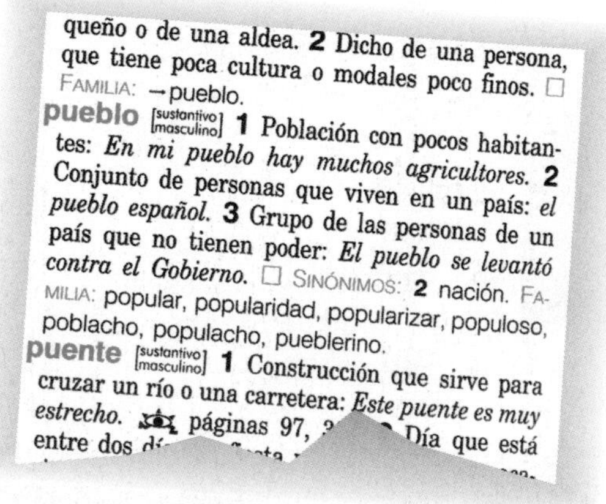
queño o de una aldea. **2** Dicho de una persona, que tiene poca cultura o modales poco finos. □ FAMILIA: →pueblo.
pueblo [sustantivo masculino] **1** Población con pocos habitantes: *En mi pueblo hay muchos agricultores.* **2** Conjunto de personas que viven en un país: *el pueblo español.* **3** Grupo de las personas de un país que no tienen poder: *El pueblo se levantó contra el Gobierno.* □ SINÓNIMOS: **2** nación. FAMILIA: popular, popularidad, popularizar, populoso, poblacho, populacho, pueblerino.
puente [sustantivo masculino] **1** Construcción que sirve para cruzar un río o una carretera: *Este puente es muy estrecho.* páginas 97, ... Día que está entre dos dí...

b) Y tú, ¿vives habitualmente en un pueblo o en una ciudad?

14 Haz preguntas a tu compañero sobre su pueblo o su ciudad. Luego háblale del lugar donde vives tú y enséñale las fotos o las postales que tengas.

- *¿De dónde eres?*
- *De...*
- ...

15 Escribe sobre un pueblo o una ciudad importante, pero no menciones su nombre. Entrega la redacción a tu profesor.

GEOGRAFÍA DE AMÉRICA LATINA

1 a) Lee el texto y complétalo con estas palabras (puedes usar el diccionario):

• Andes • Amazonas • Caribe • Suramérica

América Latina está formada por diversos países que fueron colonizados por varias naciones europeas. Ocupa parte de Norteamérica (México), Centroamérica, varias islas del mar Caribe y la mayor parte de.............................. . Su geografía es muy variada.

COSTAS

En casi todos los países hay muchos kilómetros de costa. Puede ser tropical (en el mar ...., por ejemplo), o desértica, como en algunas zonas del norte de Chile.

MONTAÑAS

La cordillera de los ...., que está situada en la parte occidental de América del Sur, va desde Panamá hasta el sur de Chile. Su pico más alto es el Aconcagua (6.960 metros).

rica Latina

RÍOS Y SELVAS

El río .... es el más importante del mundo.

Contiene la quinta parte del agua dulce de la Tierra. Sus selvas ocupan territorios de muchos países de Suramérica y se calcula que en ellas habitan la mitad de las especies vivas del planeta.

Existen también otras grandes selvas en Venezuela (atravesadas por el río Orinoco) y en Centroamérica.

b] **Escribe dos preguntas sobre el texto y házselas a tus compañeros.**

c] **Comenta con tus compañeros las informaciones que te parezcan más interesantes.**

RECUERDA

COMUNICACIÓN

Hablar sobre la situación geográfica de una población

- □ ¿*Dónde está* Sevilla?
- ○ En el sur de España. / Al sur de Madrid.
- □ ¿*Dónde está* Lima?
- ○ Entre el océano Pacífico y la cordillera de los Andes.

GRAMÁTICA

Verbo *estar*

- ■ **Localización en el espacio.**
  - Granada *está* en Andalucía.

(Ver resumen gramatical, apartado 11.2)

COMUNICACIÓN

Describir una población

- Barcelona *es* una ciudad moderna y tiene playa.
- Quito *es* una ciudad muy antigua.

Decir por qué es famoso un lugar

- Mi pueblo *es* famoso por el vino.

GRAMÁTICA

Verbo *ser*

- ■ **Descripción de lugares.**
  - Toledo *es* una ciudad antigua muy bonita.
  - Lima *es* una ciudad industrial.
- ■ **Identidad.**
  - Bogotá *es* la capital de Colombia.

(Ver resumen gramatical, apartado 11.1)

COMUNICACIÓN

Preguntar y decir *cuántos* habitantes tiene una ciudad

- □ ¿Cuántos habitantes tiene Madrid?
- ○ Más de tres millones.

Preguntar y decir *cuál* es la capital de un país

- □ ¿Cuál es la capital de Cuba?
- ○ La Habana.

GRAMÁTICA

Interrogativos

¿Cuántos?, ¿cuál?

(Ver resumen gramatical, apartados 9.6 y 9.3)

lección

8 Mi casa y mi habitación

OBJETIVOS

- Describir una casa
- Describir una habitación

1 **Relaciona las fotos con estos nombres de habitaciones:**

A → salón

A

- Salón
- Dormitorio
- Cuarto de baño
- Comedor
- Cocina
- Estudio

E

B

D

F

C

2 **a) Lee este anuncio. Puedes mirar el diccionario.**

b) Escribe lo que sabes sobre ese piso. Usa *está*, *es* y *tiene*.

Está en la plaza de la Luna.
Es nuevo.
Tiene cuatro dormitorios.

VENDO PISO

Plaza Luna, nuevo, exterior, cuatro dormitorios, calefacción, ascensor, garaje, aire acondicionado. Mucha luz, bien comunicado. Muy barato. Tel. 91 275 85 90.

3 Escucha la conversación entre Rosa y un amigo sobre la nueva casa de Rosa. Marca lo que oigas.

El piso de Rosa tiene: dos, tres, cuatro habitaciones.
Está: en el centro, cerca del centro, lejos del centro.
Es: interior, antiguo, tranquilo, bonito, pequeño, grande.
Da a una calle: ancha, estrecha, con mucho tráfico.
Tiene: teléfono, calefacción, aire acondicionado, mucha luz.
No tiene: garaje, ascensor, terraza.

4 Ahora, siguiendo el modelo anterior, cuenta a tu compañero cómo es tu casa. Luego toma nota de lo que él te diga sobre su casa.

5 a) Busca en el diccionario cinco palabras de la lista:

- Sofá
- Frigorífico
- Bañera
- Ducha
- Sillón
- Lavabo
- Lámpara
- Escalera
- Cama
- Televisión
- Estantería
- Lavadora
- Mesilla
- Armario
- Cocina eléctrica/de gas

b) Pregunta a tus compañeros por el resto.

c) Escribe debajo de cada dibujo la palabra correspondiente.

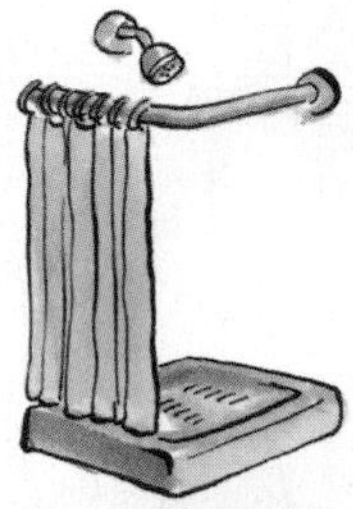
Ducha

______

______

______

______

______

______

______

______

______

______

______

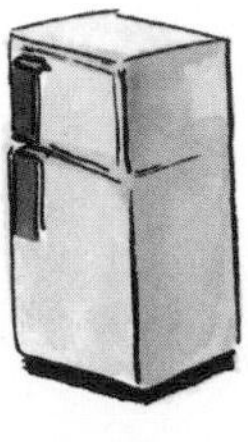
______

______

______

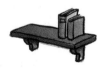

La sílaba fuerte

6 a) Escucha estas palabras y escríbelas en la columna correspondiente.

□□	□□□	□□□□	□□□□□
So fá	Lám pa ra	Es ca le ra	Fri go rí fi co

b) Escucha y subraya la sílaba más fuerte de esas palabras.

7 Mira las fotos de la actividad 1 y elige una habitación. Descríbesela a tu compañero. ¿Sabe cuál es?

- *Hay una mesa, unas sillas...*
- *¿Es la cocina?*
- *No. También hay...*
- *¿Es...?*

8 Observa los dibujos y numera las frases.

1 Delante de la televisión	□ Encima de la mesa
□ Entre el lavabo y el inodoro	□ Al lado de la lavadora
□ A la izquierda del perro	□ Detrás de la mesilla
□ Debajo del sofá	□ A la derecha del gato
□ En el frigorífico	

9 **Un alumno «esconde» su cuaderno en alguna parte de la casa de la actividad 1. Sus compañeros tienen que adivinar dónde está, y para ello le hacen preguntas. Podéis grabarlo.**

- ¿Está en el comedor?
- No.
- ¿Está en el dormitorio?
- Sí.
- ¿Está encima de la cama?
- No.

FÍJATE EN LA GRAMÁTICA

Adverbios y preposiciones

delante de	detrás de
debajo de	encima de
a la izquierda de	a la derecha de
entre... y...	dentro de
al lado de	en

10 **Escucha y marca la habitación descrita.**

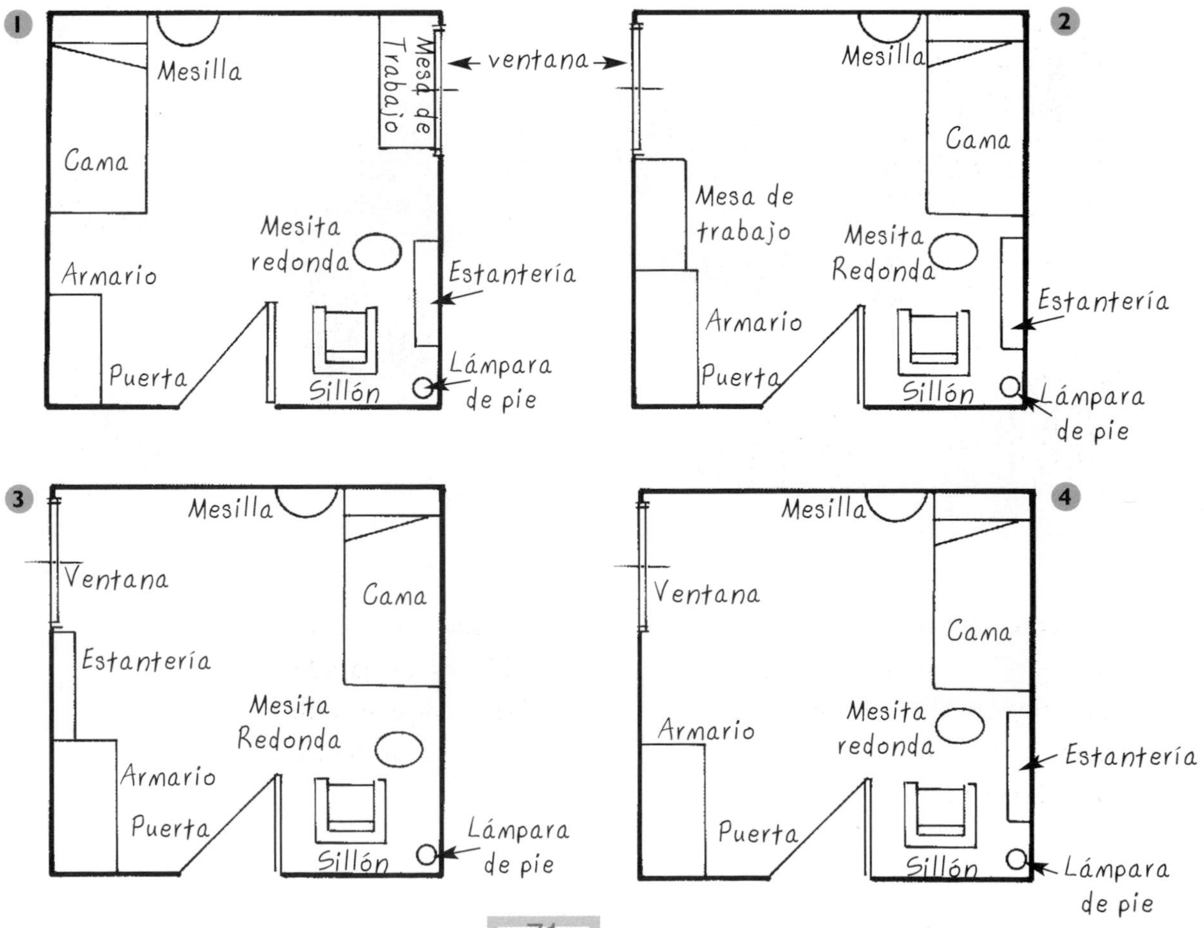

11 En parejas. ¿Qué hay en el salón?

Alumno A

1. Pregunta al alumno B qué hay en el salón de su dibujo y haz una lista en tu cuaderno de las cosas que él te diga.
2. Ahora pregúntale dónde están esas cosas y dibújalas donde él te diga.
3. Comprobad.

Alumno B

1. Responde a las preguntas de tu compañero. Luego, pregúntale qué hay en el salón de su dibujo y haz una lista en tu cuaderno de las cosas que él te diga.
2. Responde a tu compañero. Luego, pregúntale dónde están las cosas de tu lista y dibújalas donde él te diga.
3. Comprobad.

¿Lo tienes claro?

12 a) Pregunta a tu compañero cómo es su habitación, qué muebles hay y dónde está colocado cada uno. Dibuja un plano con su ayuda.

b) Usa las notas que has tomado en la actividad 4 y mira el plano del apartado anterior para escribir sobre la casa y la habitación de tu compañero.

c) Intercambia tu texto con otros compañeros. Lee tres o cuatro textos. ¿Encuentras algo interesante?

LA VIVIENDA EN ESPAÑA

1 Observa las fotos. Decide cuál de ellas puede corresponder a:

- Un pueblo blanco del interior de Andalucía.
- Un pueblo castellano.
- Un pueblo turístico de la costa mediterránea.
- Una casa de campo del norte de España.
- Un pueblo de pescadores de la costa cantábrica.
- Una ciudad española grande.

D

B

C

F

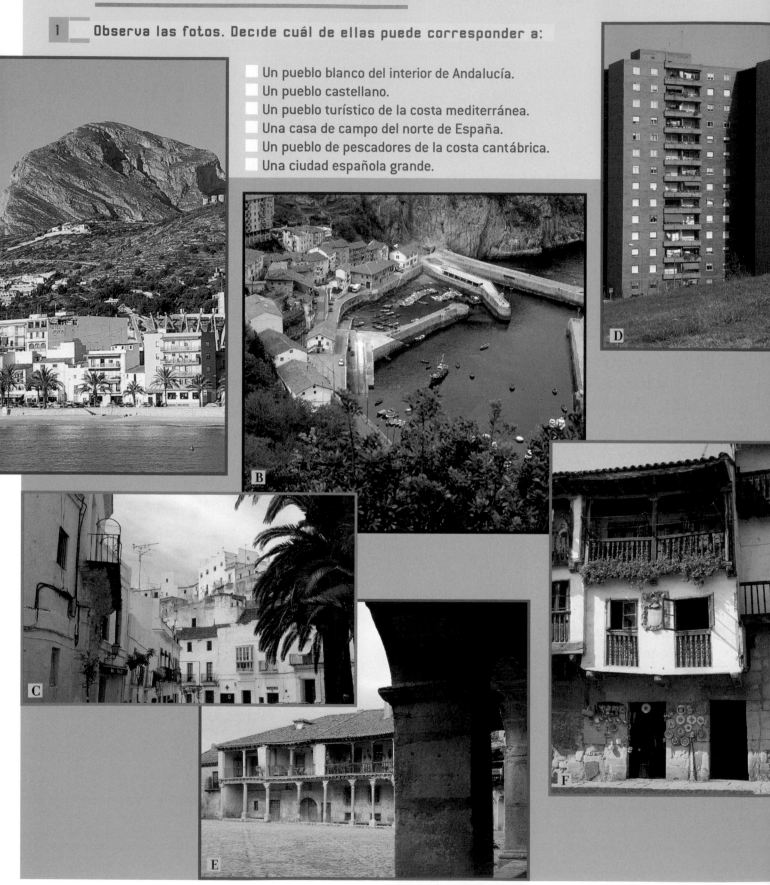

E

2 a] ¿Cómo crees que es la vivienda ideal del español medio? Coméntalo con un compañero.

b] Lee este artículo y comprueba si esa vivienda es parecida a la que habéis descrito.

LA VIVIENDA DEL ESPAÑOL MEDIO

La vivienda que desea comprar el español medio es un piso que mide entre 80 y 100 metros cuadrados (y que no cuesta más de 130.000 euros). Para él, la situación es muy importante: la prefiere cerca de su centro de trabajo y bien comunicada. Tiene 2, 3 o 4 dormitorios (depende del tipo de familia), un salón-comedor muy grande, cocina y baño. Los suelos del salón y de los dormitorios son de parqué, las ventanas tienen doble cristal, y las puertas exteriores e interiores son de madera. Es exterior y tiene mucha luz natural, ascensor y calefacción.

c] ¿Hay algo que te sorprenda? Coméntaselo a la clase.

3 a] Piensa en tu vivienda ideal. Puedes hacer un plano de ella.

b] En grupos de tres. Descríbesela a tus compañeros y escucha lo que te digan ellos. ¿Es tu vivienda ideal como la de alguno de ellos?

RECUERDA

COMUNICACIÓN

Describir una casa

- □ ¿Cómo es?
- o Antigua y bastante grande.
- □ ¿Cuántas habitaciones tiene?
- o Tres.
- □ ¿Está bien comunicada?
- o Sí.

Describir una habitación

- □ ¿Qué hay en el comedor?
- o (Hay) Una mesa, cuatro sillas...
- □ ¿Dónde está el sofá?
- o (El sofá está) Enfrente de la ventana.

GRAMÁTICA

***Hay* + artículo indeterminado + sustantivo**

Hay una cama.

(Ver resumen gramatical, apartado 10.1)

Artículo determinado + sustantivo + *está(n)*

- El armario está a la derecha de la ventana.
- Los sillones están enfrente del sofá.

(Ver resumen gramatical, apartado 10.2)

lección

9 Lugares y horarios públicos

OBJETIVOS

- Preguntar por la existencia y ubicación de lugares públicos
- Informar sobre distancias
- Dar instrucciones para ir a un lugar
- Preguntar y decir la hora
- Preguntar e informar sobre horarios públicos

1 Mira este plano de una zona de Madrid y responde a las preguntas.

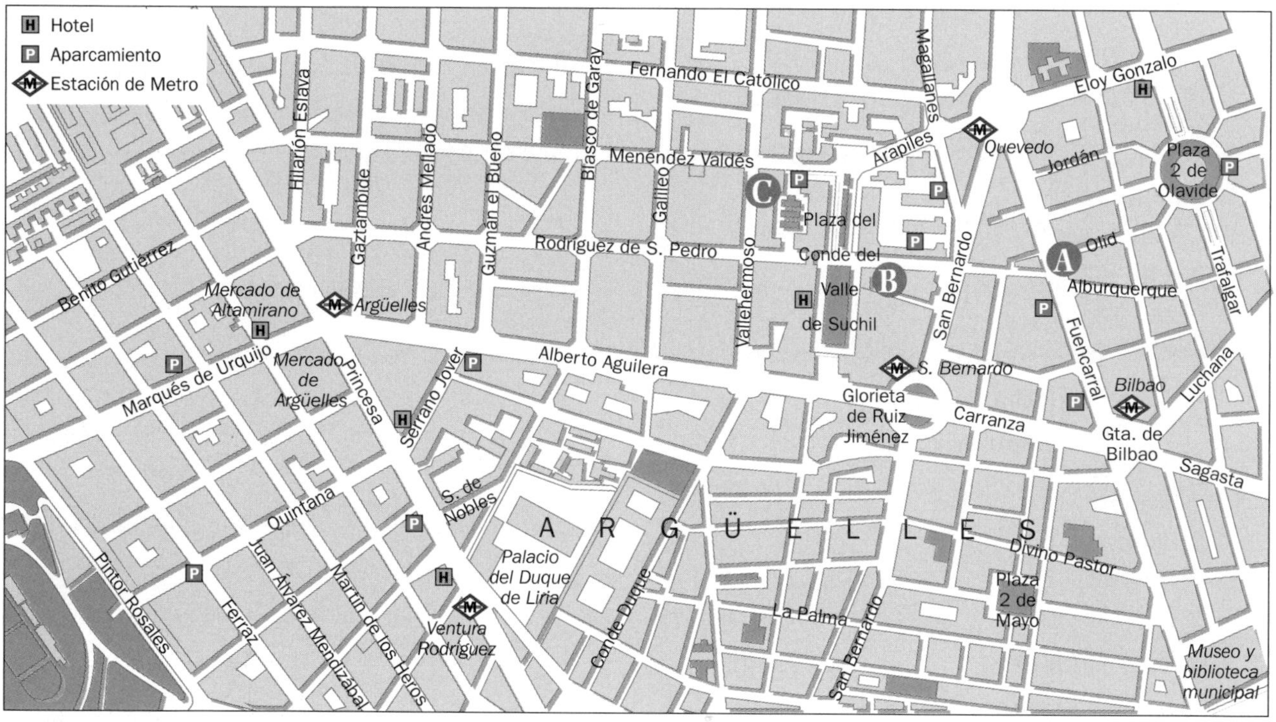

- ¿Qué barrio aparece?
- ¿Cuántas estaciones de metro hay?
- ¿Están señaladas las paradas de autobús?
- ¿Dónde hay un aparcamiento?
- ¿Dónde está el palacio del duque de Liria?

PRONUNCIACIÓN

2 a) Busca en el plano dos palabras que se escriban con «g» y otras dos con «j». ¿Cómo se pronuncian?

b) Observa:

/x/	/g/
ja	*ga*
je, ge	*gue*
ji, gi	*gui*
jo	*go*
ju	*gu, güe, güi*

c) Busca más palabras en el plano y escríbelas en la columna correspondiente.

/x/	/g/
Urquijo	Rodríguez

d) Escucha y escribe las palabras que oigas en esas mismas columnas.

e) Añade otras palabras que conozcas.

3 a) Escucha y lee estos tres diálogos.

1

María ● *¿La calle de San Andrés, por favor?*
Chico ● *Lo siento, no conozco este barrio. No soy de aquí.*
María ● *Gracias.*
Chico ● *De nada.*

2

María ● *¿La calle de San Andrés, por favor?*
Chica ● *La primera a la derecha.*
María ● *Gracias.*

3

María ● *Oiga, perdone, ¿hay un banco por aquí?*
Señor ● *Sí, hay uno al final de la calle, a la izquierda.*
María ● *¿Está muy lejos?*
Señor ● *No, aquí mismo. A unos cinco minutos andando.*
María ● *Gracias.*

b) ¿A cuál de los tres diálogos corresponde este dibujo?

c) Escucha y repite.

● ¿La calle de San Andrés, por favor?
● Lo siento, no conozco este barrio.

● Oiga, perdone, ¿hay un banco por aquí?
● Sí, hay uno al final de esta calle, a la izquierda. Está aquí mismo. A unos cinco minutos andando.

4 **Mira el plano de la actividad 1. Estás en A (Olid - Fuencarral). ¿Cómo respondes a estas preguntas? Escríbelo.**

1.ª: primera
2.ª: segunda
3.ª: tercera
4.ª: cuarta
5.ª: quinta

1
- ¿La calle Alburquerque, por favor?
- ...

2
- Oiga, perdone, ¿hay una estación de metro por aquí?
- ...

3
- Oiga, perdone, ¿hay un aparcamiento por aquí?
- ...

5 **a) Observa estos dibujos y lee las instrucciones en lenguaje formal.**

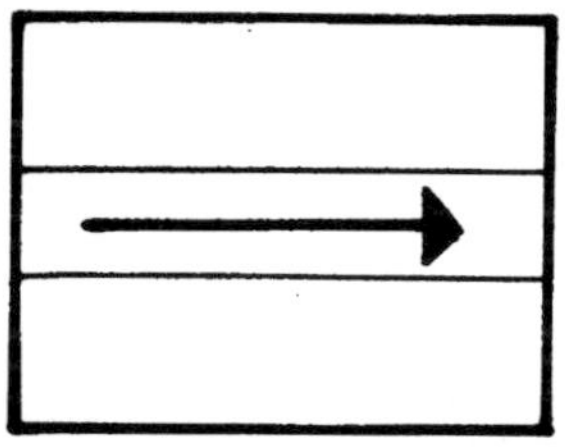

• Siga (todo) recto

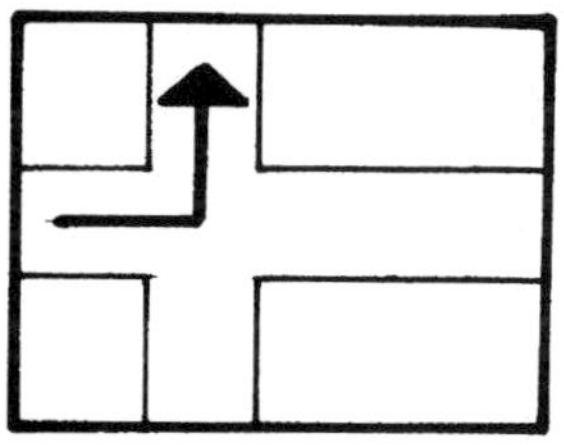

• Gire a la izquierda

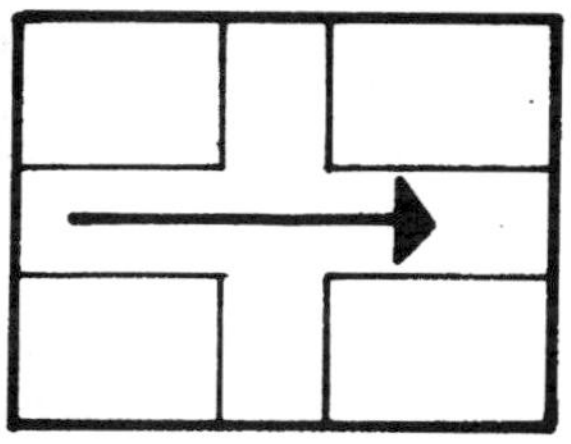

• Cruce

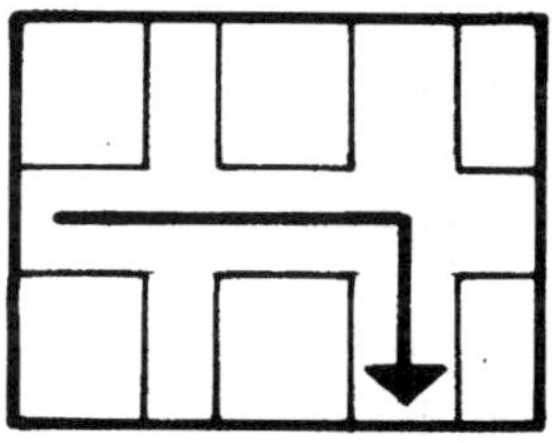

• Coja/Tome la segunda a la derecha

b) Lee el diálogo siguiente y marca el camino en el plano de la actividad 1 (están en B: calle Rodríguez San Pedro - plaza del Conde del Valle de Suchil). Puedes usar el diccionario.

- Oiga, perdone, ¿sabe dónde está la plaza del Dos de Mayo?
- Sí, siga todo recto y gire la primera a la derecha. Entonces tome la calle de... San Bernardo y cruce la glorieta de Ruiz Jiménez.
- ¿Cómo? ¿La glorieta de...?
- Ruiz Jiménez. Luego siga todo recto hasta... la tercera a la izquierda. Al final de esa calle está la plaza del Dos de Mayo.
- Entonces... cruzo la glorieta y cojo la tercera a la izquierda...
- Exacto.
- Muchas gracias.

FÍJATE EN LA GRAMÁTICA

El imperativo

	Girar	Cruzar	Tomar	Perdonar	Coger	Seguir	Oír
Tú	gira	cruza	toma	perdona	coge	sigue	oye
Usted	gire	cruce	tome	perdone	coja	siga	oiga

6 a) Mira el plano de la actividad 1 y escribe las instrucciones necesarias para ir de C (Vallehermoso - Meléndez Valdés) a los siguientes lugares:

Un hotel

Una estación de metro

■ Pregunta al profesor si tienes dudas.

b) Practica con tu compañero.

- *Oye, perdona, ¿hay un hotel por aquí?*
- ...

7 Escucha y marca el camino en el plano.

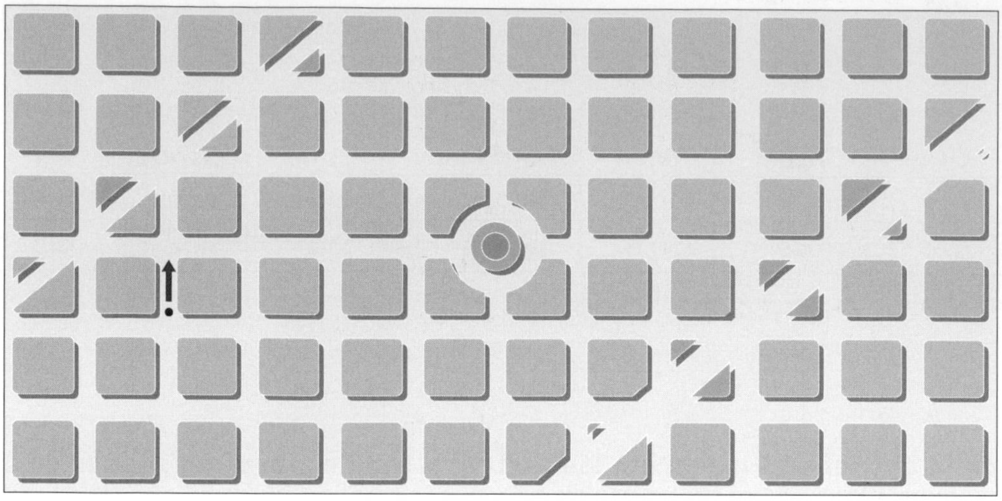

8 En parejas.

Alumno A

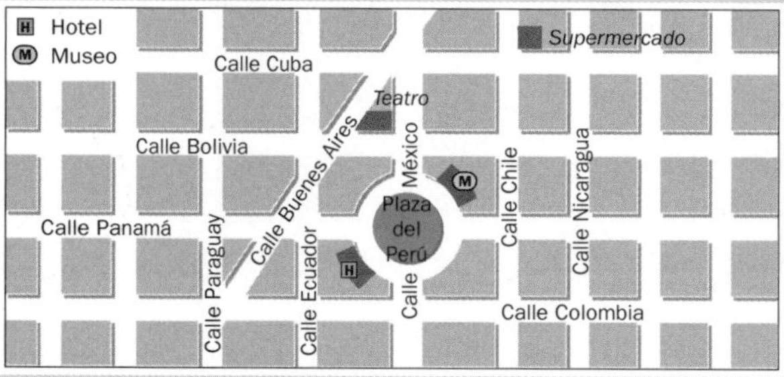

1. Marca en el plano:
   - Una parada de autobús - El café de la Ópera
   - Un estanco - El cine Céntrico
2. Estás en la plaza del Perú. Pregunta a tu compañero por:
   - Una farmacia - El restaurante El Siglo
   - Una estación de metro - Una cabina de teléfono

   y márcalos en el plano.
3. Da instrucciones a tu compañero para ir a los sitios por los que te pregunte.
4. Enseña el plano a tu compañero. ¿Coincide todo con el suyo?

Alumno B

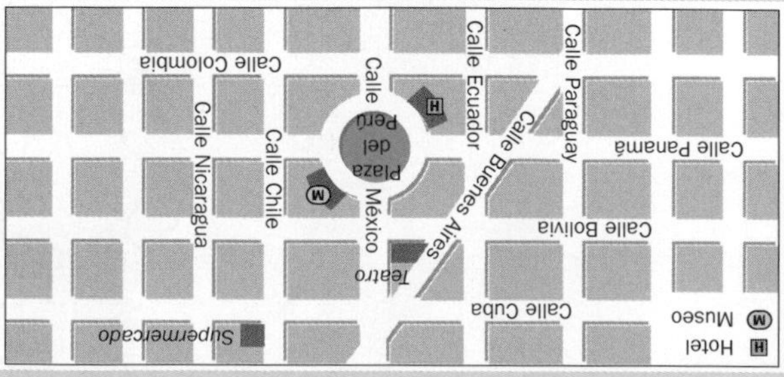

1. Marca en el plano:
   - Una farmacia - El restaurante El Siglo
   - Una estación de metro - Una cabina de teléfono
2. Estás en la plaza del Perú. Pregunta a tu compañero por:
   - Una parada de autobús - El café de la Ópera
   - Un estanco - El cine Céntrico

   y márcalos en el plano.
3. Da instrucciones a tu compañero para ir a los sitios por los que te pregunte.
4. Enseña el plano a tu compañero. ¿Coincide todo con el suyo?

¿Qué hora es?

9 Observa este dibujo con atención.

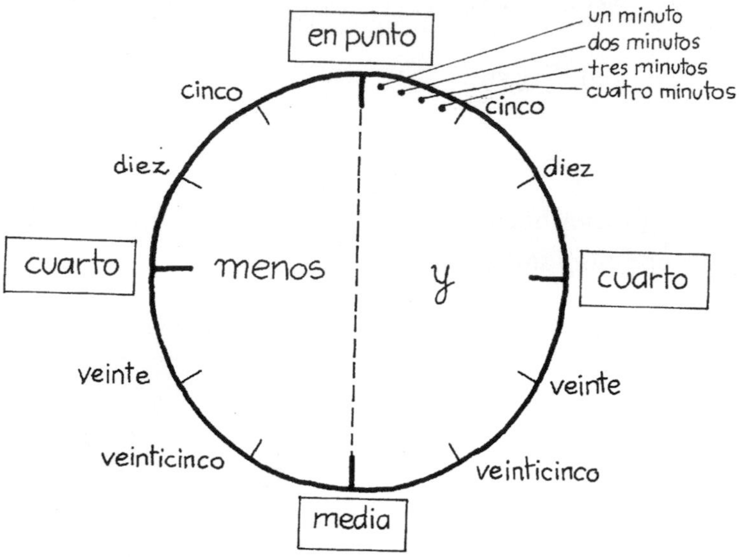

10 a) Escribe estas horas debajo de los relojes correspondientes: las cinco y media, las cinco menos diez, las once en punto, las doce y cuarto.

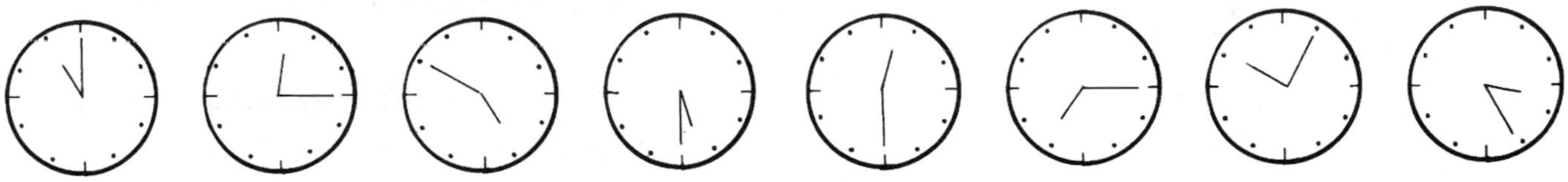

________ ________ ________ ________ ________ ________ ________ ________

b) Ahora escribe las horas que faltan.

c) Observa el cuadro. Luego pregúntale la hora a tu compañero.

FÍJATE EN LA GRAMÁTICA

La hora

¿Qué hora es?

Es la una	en punto	
	y	media cuarto cinco dos minutos
Son las dos las tres las cuatro	menos	cuarto cinco diez dos minutos

11 a) Escucha y subraya las horas que oigas.

1	2.30	12.30
2	8.15	8.40
3	3.25	2.35
4	6.10	5.50

b) Juega con tu compañero. Di una hora. Tu compañero cambia la posición de las agujas del reloj y dice la hora correspondiente.

Los días de la semana

12 a) Mira este calendario y ordena los días de la semana. Escríbelos.

jueves
domingo
miércoles
martes
sábado
viernes
lunes

b) Escucha y comprueba. Luego repite.

13 a) Observa este cartel con el horario de una tienda y responde a las preguntas:

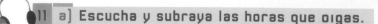

- *¿A qué hora abre esa tienda por la mañana?*
- *¿Y por la tarde?*
- *¿A qué hora cierra?*
- *¿Qué horario tiene los sábados?*

b) ¿Hay alguna coincidencia con los horarios de tu país?

¿Lo tienes claro?

14 a) **Piensa en un lugar público cercano a donde estás ahora y en cómo se va desde donde estás.**

b) **Dale las instrucciones necesarias a tu compañero para ir allí. ¿Sabe qué lugar es?**

- Coge/toma la calle... y sigue todo recto. Luego gira...
- ¡Ah! Es (el cine...).
- (Sí).

HORARIOS PÚBLICOS EN ESPAÑA

1 a) Lee el siguiente texto y completa el cuadro.

Si quieres ir de compras, te conviene saber que la mayoría de las tiendas y supermercados abren todos los días, excepto los domingos. El horario normal es de 10 de la mañana a 2 de la tarde y desde las 5 hasta las 8 de la tarde. Sin embargo, algunos grandes almacenes tienen un horario continuo de 10 de la mañana a 9 de la noche y abren algunos domingos.

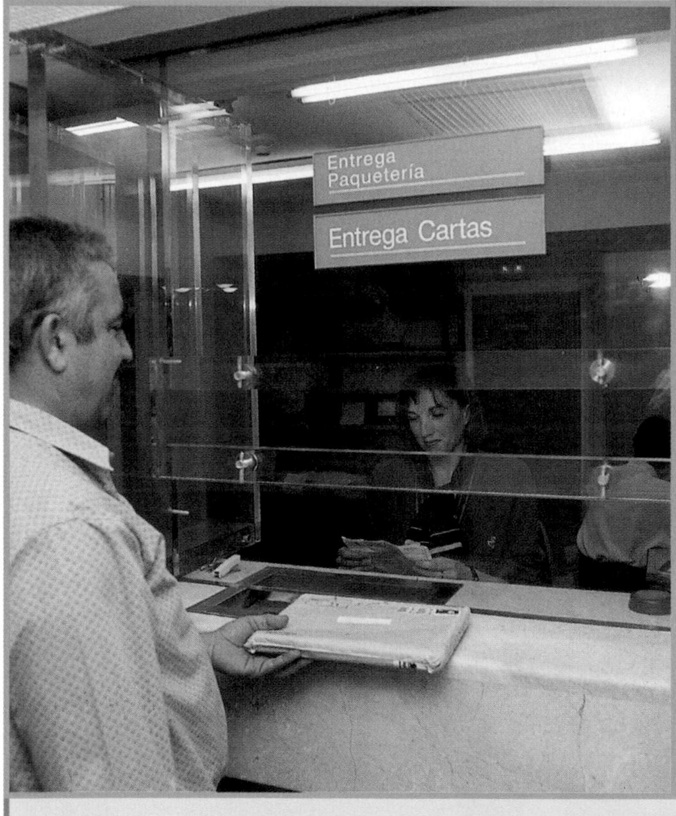

Al banco se puede ir de lunes a viernes entre las 8.30 de la mañana y las 2 de la tarde. Algunos también abren por la tarde, pero muy pocos. De octubre a mayo también están abiertos los sábados por la mañana, pero cierran una hora antes: a la una.

Si necesitas los servicios de algún centro oficial, también tienes que ir de 9 de la mañana a 2 de la tarde, y los fines de semana están cerrados.

	DE LUNES A VIERNES		FINES DE SEMANA	
	Abren	Cierran	Abren	Cierran
Tiendas	....	....	....	....
Supermercados	....	....	....	....
Grandes almacenes	....	....	....	....
Bancos	....	....	....	....
Centros oficiales	....	....	....	....

b] ¿VERDADERO O FALSO?

	V	F
1. Los centros oficiales abren los sábados por la mañana.	☐	☐
2. Los grandes almacenes están cerrados todos los domingos.	☐	☐
3. Los martes, a las 8.45, los bancos están abiertos.	☐	☐
4. Las tiendas cierran a la hora de la comida.	☐	☐
5. Todos los supermercados están cerrados los domingos.	☐	☐

2 **Habla con tus compañeros sobre los horarios de los establecimientos públicos de tu país. ¿Son diferentes a los de España?**

RECUERDA

COMUNICACIÓN

Localizar lugares

- ☐ ¿La calle Zurbano, por favor?
- ○ Es esta. / La segunda a la izquierda.
- ☐ ¿Hay un restaurante por aquí?
- ○ Sí, hay uno al final de esta calle, a la derecha.

Hablar de distancias

- ☐ ¿Estás lejos?
- ○ No, aquí mismo, a unos cien metros. / A cinco minutos.

Dar instrucciones para ir a un lugar

- ☐ Siga todo recto y tome la tercera a la derecha.
- ○ Cruce la plaza y gire la primera a la derecha.

GRAMÁTICA

Imperativo afirmativo, singular

Verbo	*Tú*	*Usted*
tomar	toma	tome
girar	gira	gire
cruzar	cruza	cruce
perdonar	perdona	perdone
coger	coge	coja
seguir	sigue	siga
oír	oye	oiga

(Ver resumen gramatical, apartado 7.3)

COMUNICACIÓN

Preguntar y decir la hora

- ☐ ¿Qué hora es / tienes?
- ○ (Es) La una y cuarto. / (Son) Las tres y media.

Preguntar e informar sobre horarios públicos.

- ☐ ¿A qué hora abren las tiendas por la tarde?
- ○ A las cinco.

GRAMÁTICA

Preposiciones

A

- *Abren a las cinco.*

De

- *Abren a las cinco de la tarde.*

Por

- *Abren los sábados por la tarde.*

lección

10

Gustos

OBJETIVOS

- Expresar gustos personales
- Expresar coincidencia y diferencia de gustos
- Expresar diversos grados de gustos personales

1 ¿Entiendes estas palabras y expresiones? Pregunta a tus compañeros o al profesor lo que significan las que no conozcas.

PRONUNCIACIÓN

La sílaba fuerte

2 a) Escucha estas palabras y escríbelas en la columna correspondiente.

□ □	□ □ □	□ □ □ □	□ □ □ □ □
Sa lir			

b) Añade otras palabras de la actividad 1.

c) Subraya la sílaba fuerte de todas ellas.

d) Comprueba con el profesor y practica con su ayuda las palabras más difíciles de pronunciar.

3 a) Observa los dibujos y lee las frases. ¿Las entiendes?

Me gusta...
Me gustan...
No me gusta...
No me gustan...

- Me gusta el fútbol.
- Me gusta ir al cine.
- Me gustan las motos.

- No me gusta el tenis.
- No me gusta ver la televisión.
- No me gustan los ordenadores.

b) Comenta con tu compañero por qué unas veces se dice «gusta» y otras «gustan». Díselo al profesor. ¿Qué diferencias hay con tu lengua?

4 Marca tus gustos personales.

	Me gusta	Me gustan	No me gusta	No me gustan
Los ordenadores				
El teatro				
Ir a conciertos				
El español				
Las motos				
Bailar				

5 a) Observa:

Mismos gustos

Me gusta(n).
A mí también.
No me gusta(n).
A mí tampoco.

Gustos diferentes

Me gusta(n).
A mí no.
No me gusta(n).
A mí sí.

b) Pregunta a tu compañero si le gustan las cosas y las actividades de tiempo libre presentadas en la actividad 1. ¿En cuántas coincidís?

- ¿Te gusta el teatro?
- Sí, ¿y a ti?
- A mí también.

6 Escribe sobre los gustos de tu compañero.

A (John) le gusta(n)... y..., pero no le gusta(n)... ni...

7 En grupos de tres. Usad esta lista para descubrir dos aspectos de la clase de español que os gustan a los tres y otros dos que no os gustan. Luego decídselo a la clase.

Nos gusta(n)... y...

No nos gusta(n)... ni...

hablar - escuchar cintas - el profesor/la profesora - leer - ...

la gramática - escribir - este libro - el horario - los deberes - ...

8 a) Mira el dibujo y lee las frases. Luego escríbelas ordenándolas de más a menos. Pregunta al profesor las palabras que no conozcas.

¡Me encanta!
¡Me gusta!
No me gusta.
No me gusta nada.
Me gusta mucho.

1. Me encanta.
2. ...
3. ...
4. ...
5. No me gusta nada.

b) Y a ti, ¿te gusta ese cuadro? Díselo a la clase.

9 Escucha estos sonidos y estos fragmentos de música y di si te gustan o no.

10 a) Observa el cuadro y después completa las frases. Puedes usar el diccionario.

FÍJATE EN LA GRAMÁTICA

Verbos "gustar" y "encantar"

Pronombre		Verbo	
(A mí) *(A ti)* *(A él / ella / usted)* *(A nosotros / nosotras)* *(A vosotros / vosotras)* *(A ellos / ellas / ustedes)*	*Me* *Te* *Le* *Nos* *Os* *Les*	gusta encanta	el cine escuchar música
		gustan encantan	las motos los libros

1. A mi compañero ....
2. A mí ....
3. A los hombres les encanta ....
4. A las mujeres les ....
5. A mi profesor ....
6. A los estudiantes no ....
7. .... los estudiantes que no hablan español en clase.
8. .... viajar fuera de mi país.

b) Lee en voz alta lo que has escrito. ¿Coincides con alguno de tus compañeros?

11 ¿VERDADERO O FALSO? Escucha y marca.

	V	F
1. A Carlos le gusta mucho el esquí.	☐	☐
2. A María no le gusta nada el fútbol.	☐	☐
3. A Carlos no le gusta leer.	☐	☐
4. A los dos les encanta bailar.	☐	☐
5. Carlos y María tienen los mismos gustos.	☐	☐

Cuestión de lógica

12 a) Lee las claves y completa el cuadro.

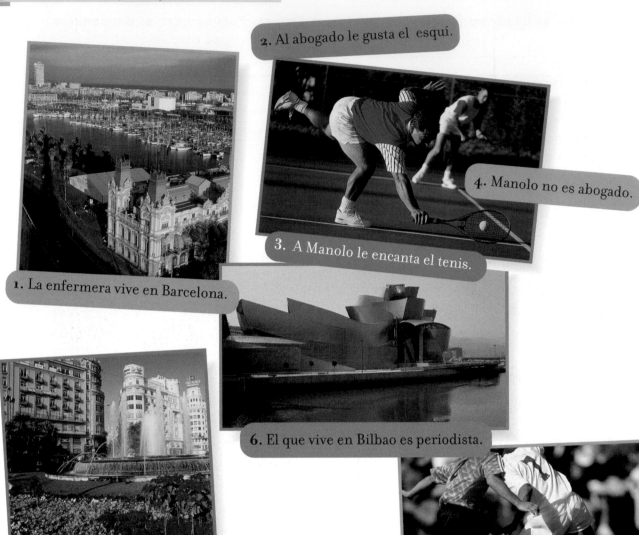

1. La enfermera vive en Barcelona.

2. Al abogado le gusta el esquí.

3. A Manolo le encanta el tenis.

4. Manolo no es abogado.

5. Javier vive en Valencia.

6. El que vive en Bilbao es periodista.

7. A Luisa le gusta mucho el fútbol.

Nombre	Profesión	Ciudad	Le gusta

b) Prepara otro problema de lógica.

c) Dáselo a tu compañero para ver si lo resuelve.

¿Lo tienes claro?

13 a) ¿Conoces bien a tu compañero? Marca sus posibles gustos en este cuestionario.

	Le encanta(n)	Le gusta(n) mucho	Le gusta(n)	No le gusta(n)	No le gusta(n) nada
El fútbol					
Ver la televisión					
Cocinar					
Los niños					
La música clásica					
La música pop					
Prince					
Julio Iglesias					
Las películas de ciencia ficción					

b) Ahora pregúntale y marca sus respuestas con otro color.

c) Comparad las respuestas con los posibles gustos. ¿Quién tiene más aciertos?

Descubre España y Amé

MÚSICA LATINOAMERICANA

1 a) Escucha estos fragmentos de música latinoamericana y relaciónalos con las fotos.

Música andina

tango

Salsa

ranchera

b] ¿Con qué país o países asocias cada tipo de música?

- Yo asocio la salsa con...
- Yo también la asocio con...

Música cubana

Cumbia colombiana

c] Escucha otra vez la música y piensa en las respuestas a estas preguntas:

- ¿Cuáles de esos tipos de música te gustan más?
- ¿Conoces alguna otra canción de esos estilos?
- ¿Conoces otros tipos de música latinoamericana?

d] Ahora comenta las respuestas con tus compañeros.

RECUERDA

COMUNICACIÓN

Expresar gustos personales

- Me gustan las discotecas y las motos.
- No me gusta el fútbol ni el tenis.
- Me gusta leer, pero no me gusta el cine.

GRAMÁTICA

Verbo gustar

Gusta

- ¿Te gusta el teatro?
- ¿Te gusta bailar?

Gustan

- ¿Te gustan los coches?

(Ver resumen gramatical, apartado 12)

COMUNICACIÓN

Expresar coincidencia y diferencia de gustos

□ Me gusta mucho este cuadro.
○ A mí también / A mí no.
□ No me gustan los ordenadores.
○ A mí tampoco / A mí sí.

GRAMÁTICA

También, tampoco, sí, no

(Ver resumen gramatical, apartado 13)

COMUNICACIÓN

Expresar diversos grados de gustos personales

- A mi abuela le encanta bailar.
- A Pepe le gusta mucho ver la televisión.
- Me gusta la clase de español.
- A Olga no le gustan los niños.
- No me gusta nada este disco.

GRAMÁTICA

Pronombres de objeto indirecto

(A mí)	*Me*
(A ti)	*Te*
(A él/ella/usted)	*Le*
(A nosotros/nosotras)	*Nos*
(A vosotros/vosotras)	*Os*
(A ellos/ellas/ustedes)	*Les*

- A vosotros os gusta mucho la música clásica, ¿verdad?

(Ver resumen gramatical, apartados 8.2 y 8.4)

Repaso

1 JUEGO DE PALABRAS

a) Tienes dos minutos para buscar los contrarios de:

• cerca	• a la derecha	• modernas
• cerrado	• bonitos	• ruidosa
• debajo	• no me gusta nada	• norte
• aburrida	• delante	• poco

b) En parejas. Por turnos. Elige una de estas palabras o expresiones y dísela a tu compañero. Él tiene que decir lo contrario. Si está bien, tiene un punto; si está mal, cero puntos. Gana el que obtiene más puntos.

2 JUEGO DE FRASES

En grupos de cuatro. Juega con un dado y una ficha de color diferente a la de tus compañeros.

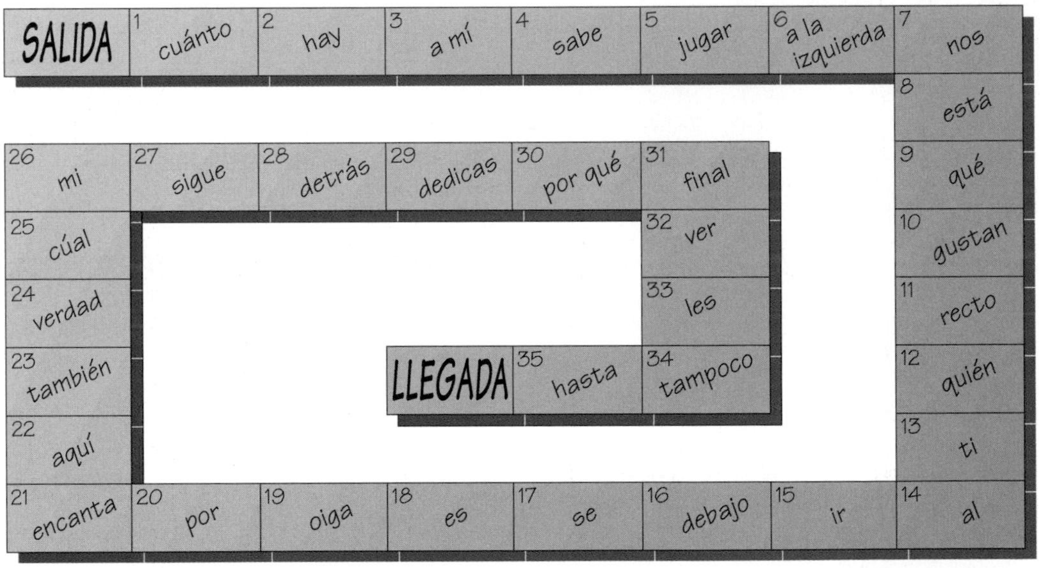

- Por turnos. Tira el dado y avanza el número de casillas que indique.
- Di una frase correcta con la(s) palabra(s) de la casilla donde estás.
- Si tus compañeros dicen que está mal, retrocede a donde estabas.

3 ¿DÓNDE ESTÁN LOS MUEBLES?

a) Escucha y haz una lista de los muebles que hay en la habitación de Alfonso.

b) Escucha de nuevo y dibuja cada mueble (o escribe su nombre) en el lugar donde está.

4 ¿CÓMO SE VA A LA CALLE VILLALAR?

a) Quieres alquilar una habitación. Has comprado el periódico y aparece este anuncio. Léelo y marca verdadero o falso.

ALQUILO

VILLALAR, C/, zona Retiro. Ático de tres habitaciones, compartir con dos chicos, 50 m² de terraza, ascensor, teléfono, calefacción. 375 €./mes más gastos comunes. Tel.: 91 419 93 12.

	V	F
1. Es un primer piso.		
2. Ahora solo vive una persona en él.		
3. Es un piso de 50 metros cuadrados.		
4. Cada persona paga 375 euros al mes.		

b) En parejas. No miréis el plano del compañero.

Alumno A

1. Llamas por teléfono a ese piso. Vas a ir a verlo a las seis de la tarde y preguntas:
   - la dirección exacta;
   - cómo se va (estás en la esquina de las calles de Montalbán y Alfonso XII).

➡ **Marca el camino en el plano.**

2. Comprueba con el plano de tu compañero.

Alumno B

1. Vives en ese piso y A te llama por teléfono. Va a ir a verlo a las seis de la tarde. Mira el plano y responde a sus preguntas sobre:
   - la dirección del piso;
   - cómo se va desde la esquina de las calles de Montalbán y Alfonso XII.

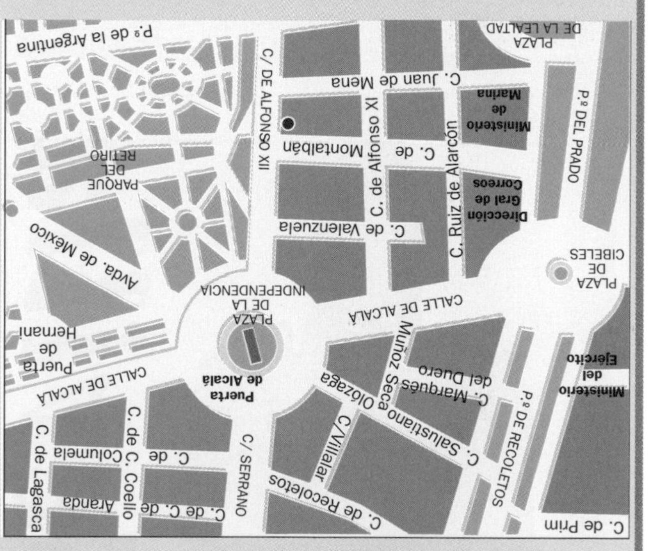

2. Comprueba si tu compañero ha marcado bien el camino que le has dicho.

5 ¿POR QUÉ TE GUSTA?

a) Escucha esta música.

b) En parejas. Pensad en una persona a la que le guste mucho uno de esos dos fragmentos de música.

c) Escribid sobre ella (sexo, edad, profesión, domicilio, descripción física, carácter y gustos).

Preparación de la tarea

¿Verdadero o falso? a) Marca lo que creas en la columna «antes de leer».

Antes V	Antes F		Después V	Después F
		Sevilla está en el centro de España.		
		Está a unos 500 kilómetros de Madrid.		
		Por Sevilla pasa un río.		
		Tiene un millón de habitantes aproximadamente.		
		En muchas casas del centro de Sevilla sólo vive una familia.		

b) **Ahora lee estos dos párrafos de un folleto turístico y marca en la columna «después de leer». Compara tus respuestas con las anteriores.**

...Sevilla

Sevilla, la ciudad más importante de Andalucía, se halla situada al sur de Madrid, a 542 kilómetros por carretera. Por ella pasa el río Guadalquivir, al que los romanos llamaron Betis. Es puerto fluvial y escala de muchas compañías de navegación españolas y extranjeras. También está excelentemente comunicada por tierra y aire. Desde el aeropuerto (San Pablo) hay vuelos directos a Alicante, Barcelona, Bilbao, Canarias, Madrid, Málaga, Palma de Mallorca, Santiago de Compostela y Valencia.

Un folleto turístico

En marcha

EN PAREJAS

1 Escribid un texto de presentación de la ciudad donde estáis. Podéis consultar folletos turísticos. Incluid también una lista de lugares de interés y marcadlos en un plano de esa ciudad.

2 Pasad el texto a otra pareja y corregid el suyo. Comentad con la otra pareja los posibles errores. Si habéis cometido errores, escribid de nuevo el texto.

3 Pegad el texto, el plano y alguna foto de esa ciudad en una cartulina grande y ponedla en una pared de la clase.

La estructura urbana de Sevilla, cuya población supera los 600.000 habitantes, fue construida en la Edad Media pensando en cómo evitar el calor del verano. Por eso tiene tantas calles estrechas, pasajes y plazas pequeñas. Las casas, en gran parte habitadas por una sola familia, suelen ser blancas, con flores en las ventanas, y muchas de ellas tienen un patio, herencia a la vez romana y oriental.

lección

11

Un día normal

OBJETIVOS

- Hablar de hábitos cotidianos

1 a] Mira este dibujo del número seis de la calle de la Rosaleda a las ocho de la mañana de un día normal. Luego lee el texto y subraya lo que no entiendas.

«Todos los días me levanto a las tres de la tarde y como a las cuatro, más o menos. Luego paso la tarde leyendo novelas policíacas o voy al cine. Ceno sobre las diez de la noche y empiezo a trabajar a las once. Me encanta la noche y mi trabajo. Termino de trabajar a las seis y media de la mañana y vuelvo a casa un cuarto de hora más tarde. Desayuno a las siete, leo el periódico y siempre me acuesto a las ocho.»

b] Di a qué persona del dibujo corresponde ese texto.

2 Y tú, ¿a qué hora haces esas cosas normalmente? Escríbelo. Fíjate en el texto de la actividad 1.

▪ *Me levanto a las...*

3 Escucha y repite lo que oigas solo si es verdadero. Si es falso, no digas nada.

FÍJATE EN LA GRAMÁTICA

Presente de indicativo (singular)

Completa el cuadro con las formas verbales que faltan.
Puedes consultar el texto de la actividad 1.

	Verbos acabados en *-ar*				
	Trabajar	*Desayunar*	*Terminar*	*Cenar*	*Empezar*
Yo	trabajo	desayuno			empiezo
Tú	trabajas		terminas		empiezas
Él/ella/usted	trabaja			cena	

	Llamarse	*Levantarse*	*Acostarse*
Yo **me**	llamo		
Tú **te**	llamas	levantas	acuestas
Él/ella/usted **se**	llama		

	Verbos acabados en *-er*			
	Tener	*Comer*	*Volver*	*Hacer*
Yo	tengo			hago
Tú	tienes	comes	vuelves	haces
Él/ella/usted	tiene		vuelve	

	Verbos acabados en *-ir*	
	Vivir	*Salir*
Yo	vivo	salgo
Tú	vives	sales
Él/ella/usted	vive	

Verbo *ir*	
Yo	
Tú	vas
Él/ella/usted	va

PRONUNCIACIÓN

La sílaba fuerte

4 a) Escucha las palabras y escríbelas en la columna correspondiente.

□□	□□□ ter mi nas	□□□□

b) Subraya la sílaba fuerte de esas palabras.

c) ¿Qué tienen en común todas esas formas verbales? Díselo al profesor.

5 a) En grupos de cuatro. Habla con tus compañeros y pregúntales a qué hora hacen habitualmente estas cosas. Anótalo.

		Tú			
Levantarse					
Desayunar					
Empezar	a trabajar				
	las clases				
Comer					
Terminar	de trabajar				
	las clases				
Volver a casa					
Cenar					
Acostarse					

- ¿A qué hora te levantas?
- A las... (de la...). ¿Y tú?
- ...

b) Mira el cuadro y responde a las preguntas.

¿Quién de vosotros se levanta antes?

¿Quién come antes?

¿Quién cena más tarde?

¿Quién se acuesta más tarde?

¿Quién vuelve a casa más tarde?

6 a) Escucha la conversación de Eduardo con una amiga sobre su tía y haz una lista de las horas que oigas.

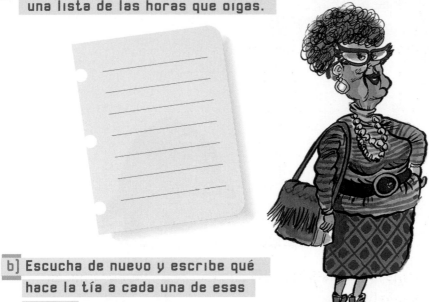

b) Escucha de nuevo y escribe qué hace la tía a cada una de esas horas.

7 a) En grupos de tres. ¿Qué creéis que hacen en un día normal los otros vecinos de Rosaleda, 6? Elegid dos de ellos y decidid qué hace cada uno.

- *Yo creo que el señor Andrés no trabaja.*
- *Se levanta a...*

b) Decídselo a la clase. ¿Están de acuerdo vuestros compañeros?

8 **Observa este dibujo y lee el texto. Tu profesor tiene la información que falta. Pídesela y rellena los espacios en blanco.**

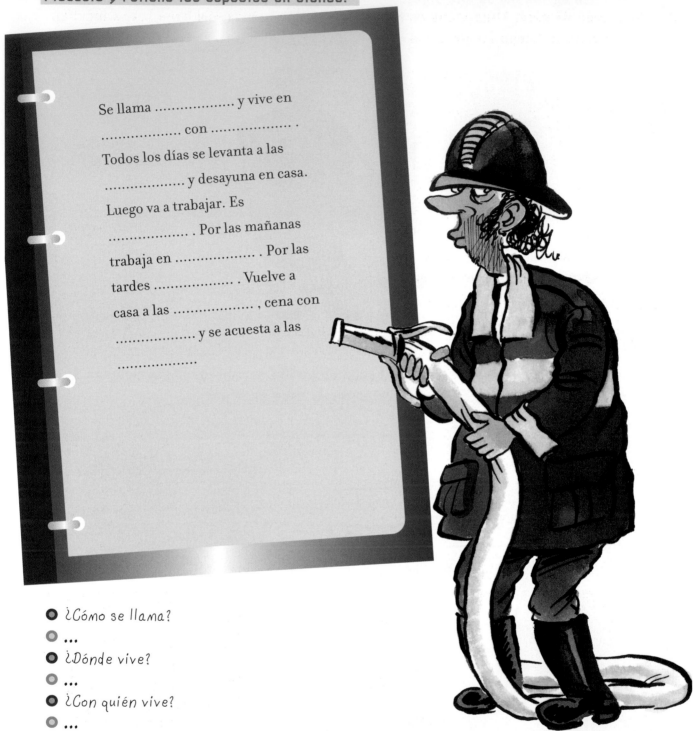

Se llama .... y vive en .... con .... Todos los días se levanta a las .... y desayuna en casa. Luego va a trabajar. Es .... Por las mañanas trabaja en .... Por las tardes .... Vuelve a casa a las .... , cena con .... y se acuesta a las ....

- ¿Cómo se llama?
- ...
- ¿Dónde vive?
- ...
- ¿Con quién vive?
- ...

¡Crea otro personaje diferente!

9 **a)** **Fíjate en el esquema anterior y escribe sobre un personaje imaginario. Puedes usar el diccionario.**

b) **Pregunta a tu compañero por su personaje. ¿Es más raro que el tuyo?**

¿Lo tienes claro?

10 **En grupos de seis. Elige a una de estas personas y piensa qué hace todos los días y a qué hora. Luego díselo a tus compañeros. ¿Saben quién es?**

1

2

3

4

5

6

7

8

Descubre España y Amé

FORGES Y EL HUMOR

1 a) Averigua qué es un chiste.

b) Lee estos dos chistes. ¿Los entiendes? ¿Cuál te gusta más?

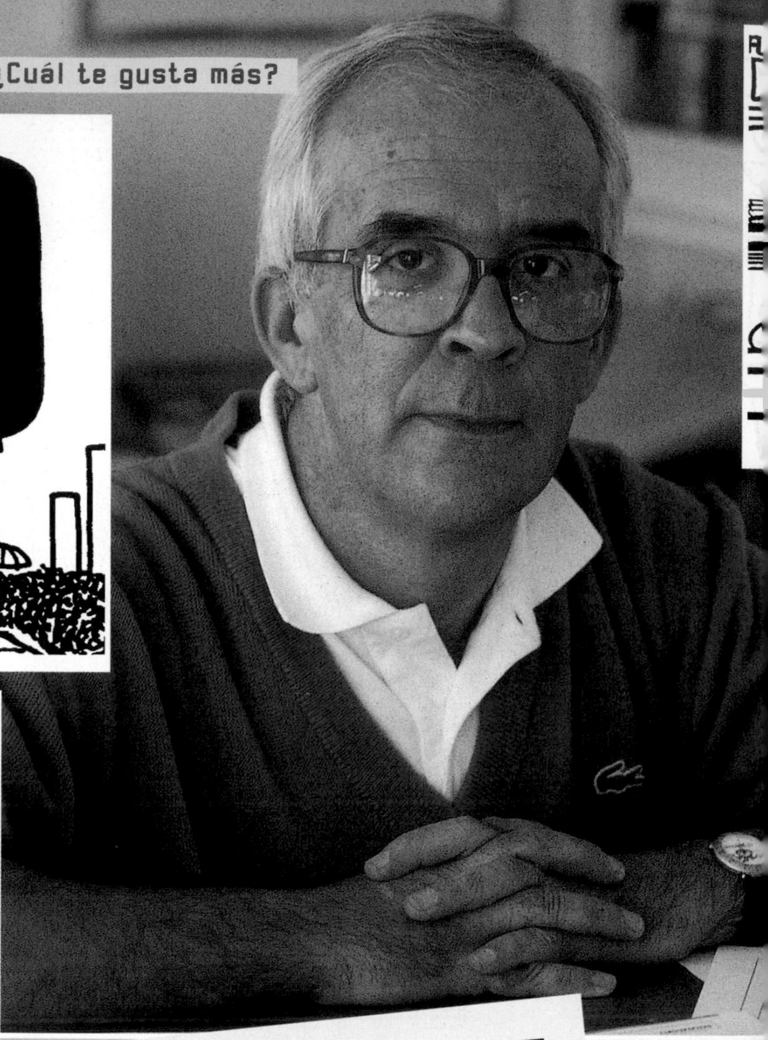

c) Los dos han sido creados por Forges, famoso dibujante humorístico español. Lee esta información sobre él con ayuda del diccionario.

Antonio Fraguas, Forges, dibuja chistes sobre la vida social y política de España desde 1964. Tiene un estilo gráfico personal y muy cómico. En sus textos, muy ingeniosos y críticos, utiliza lenguaje culto y popular. Colabora habitualmente con periódicos y revistas, y también ha publicado varios libros.

2 a) Ahora lee este chiste sobre lo que hace un señor un día normal.

b) En parejas, responded a las preguntas. Podéis usar el diccionario.

- ¿Dónde trabaja ese señor?
- ¿Qué profesión tiene?
- ¿Qué hora crees que es? ¿Por qué?
- ¿Es normal tener una clase de yoga en el trabajo?
- ¿Qué quiere expresar el autor de ese chiste?

c) Comentad vuestras respuestas con la clase.

RECUERDA

COMUNICACIÓN

Hablar de hábitos cotidianos

□ ¿A qué hora te levantas?
o A las ocho.
□ ¿Comes en casa?
o No, en el trabajo.
□ ¿Qué haces por la tarde?
o Voy a clase de música.

GRAMÁTICA

Presente de indicativo, singular

- Verbos regulares:
  Desayunar, comer, terminar, cenar, levantarse
  (Ver resumen gramatical, apartado 7.1.1)
- Verbos irregulares:
  Ir
  (Ver resumen gramatical, apartado 7.1.2.1)

(e – ie)	(o – ue)	(o – ue)
empezar	***volver***	***acostarse***
empiezo	vuelvo	me acuesto
empiezas	vuelves	te acuestas
empieza	vuelve	se acuesta

(Ver resumen gramatical, apartado 7.1.2.2)

Hacer, salir

(Ver resumen gramatical, apartado 7.1.2.4)

Pronombres reflexivos

me, te, se

(Ver resumen gramatical, apartado 8.3)

El fin de semana

1 **a)** Busca en un diccionario o pregunta el significado de las palabras o expresiones del recuadro que no conozcas.

• ir de compras	• ir a conciertos	• lavar la ropa	• hacer la limpieza	• pasear
• montar en bicicleta	• cocinar	• ir al campo	• esquiar	• comer/cenar fuera
• hacer deporte	• hacer la compra	• ir de copas	• ver exposiciones	

b) Observa los dibujos y escribe debajo de cada uno la palabra o expresión correspondiente.

Montar en bicicleta
....

....

....

....

....

....

2 ¿Te gusta hacer las cosas de la lista anterior? ¿Y a tu compañero? Coméntalo con él.

- A mí no me gusta ir de compras, ¿y a ti?
- A mí, | tampoco.
  | sí.
  | me gusta mucho.
  | me encanta.

3 Lee lo que dicen estas personas. ¿Qué actividades del recuadro 1 a) mencionan?

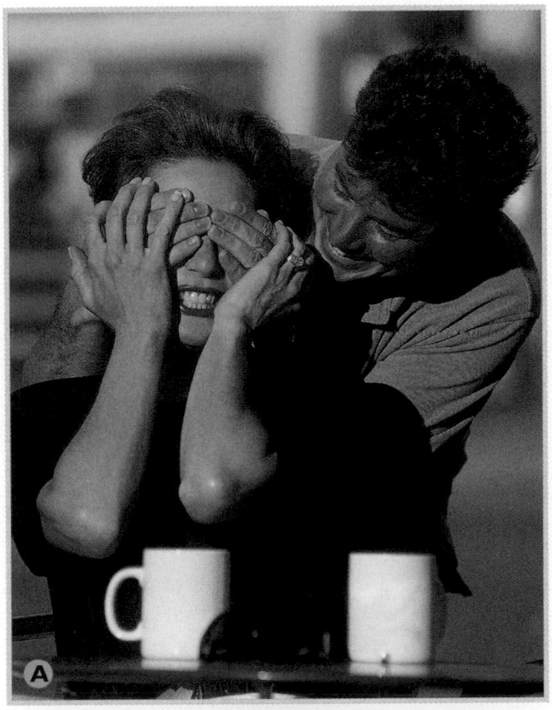

A

Maite Larrauri y Juan Pozas

Enfermera y arquitecto. Casados, 28 y 32 años.

«Los sábados nos levantamos tarde. Por la mañana hacemos la limpieza y la compra. Por la tarde leemos un poco o escuchamos música, y por la noche cenamos fuera, vamos al cine o a algún concierto... y luego de copas. Los domingos por la mañana normalmente vamos a ver alguna exposición y a veces comemos con la familia. Luego pasamos la tarde en casa y nos acostamos pronto.»

Elena Ramos

Médica. Divorciada. 51 años.

«Pues yo voy al campo muchos fines de semana. Los sábados que estoy en Madrid me levanto a la hora de todos los días y a veces voy de compras. Por la tarde siempre salgo con algún amigo y vamos al cine, al teatro, a bailar... Los domingos son mucho más tranquilos: me gusta comer en casa y por la tarde no salgo. Es cuando realmente descanso.»

B

FÍJATE EN LA GRAMÁTICA

Presente de indicativo (plural)

Completa este esquema gramatical. Puedes consultar el texto anterior.

	Verbos acabados en *-ar*		
	Cenar	*Levantarse*	*Acostarse*
Nosotros	**cenamos**	**nos levantamos**	
Vosotros	**cenáis**	**os**	**os acostáis**
Ellos/ellas/ustedes	**cenan**	**se**	**se acuestan**

	Verbos acabados en *-er*			
	Hacer	*Comer*	*Leer*	
Nosotros	**hacemos**		**leemos**	**volvemos**
Vosotros	**hacéis**	**coméis**		**volvéis**
Ellos/ellas/ustedes	**hacen**			**vuelven**

	Verbos acabados en *-ir*	
	Vivir	*Salir*
Nosotros	**vivimos**	
Vosotros	**vivís**	
Ellos/ellas/ustedes	**viven**	

Verbo *ir*	
Nosotros	
Vosotros	vais
Ellos/as	van
Ustedes	van

PRONUNCIACIÓN

Diptongos

4 a) Escucha estas palabras y escríbelas en la columna correspondiente.

/ai/	/ei/
bailar	*veinte*

b) Escucha y comprueba.

c) Escucha y repite.

5 a) Escucha esta conversación entre Sara y Alfonso sobre lo que hacen el fin de semana. Numera las actividades siguiendo el orden en que las oigas.

		Sara y su marido	Alfonso y su mujer
	Pasear		
1	Ir al campo		
	Trabajar en el jardín		
	Ir al cine		
	Salir		
	Ir al teatro		
	Hacer la limpieza		
	Montar en bici		
	Ir a conciertos		

b) A Sara y a su marido les gusta mucho el campo, y a Alfonso y a su mujer, la ciudad. ¿Qué actividades crees que hace cada pareja? Márcalo en el cuadro.

1

2

c) Escucha y comprueba.

6 En parejas (A-B). Imaginad que sois amigos y vivís juntos. Escribid cinco cosas que hacéis juntos y tres que hacéis por separado los fines de semana.

Siempre vamos al campo...

7 Cambio de parejas (A-A y B-B). Hablad de lo que hacéis los fines de semana.

- *¿Qué hacéis los fines de semana?*
- *Pues (nos levantamos)... ¿Y vosotros?*
- *Nosotros...*

8 En parejas (A-B) de nuevo. Comentad lo que hacen esos amigos los fines de semana. ¿Hacen algo divertido o algo raro?

Frecuencia

9 a) Observa.

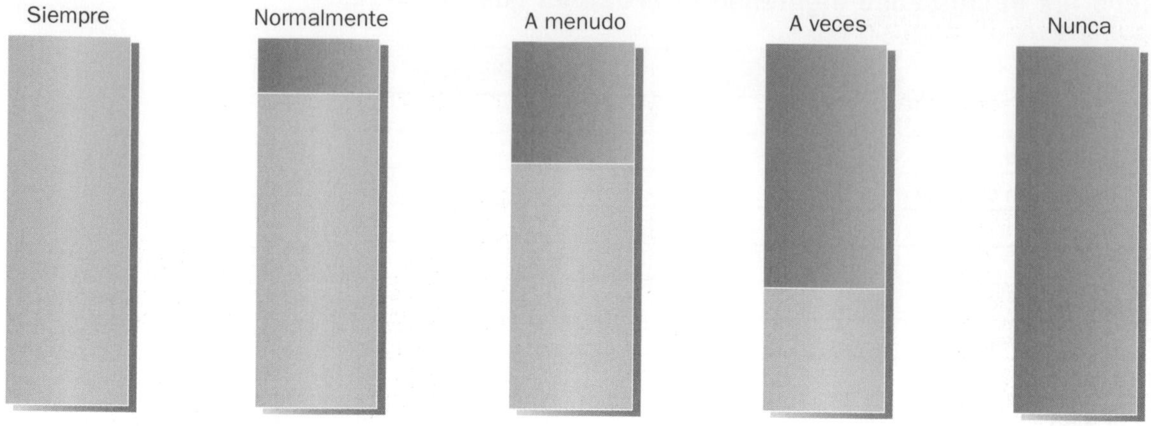

b) Lee de nuevo los textos de la actividad 3 y busca esas expresiones de frecuencia. ¿Cuántas aparecen?

c) Piensa en las cosas que haces tú los sábados y escríbelo.

Siempre ....
Normalmente ....
.... a menudo.
A veces ....
No .... nunca ....

10 ¿VERDADERO O FALSO? Pregunta a tus compañeros.

	V	F
1. Dos personas de esta clase se acuestan siempre tarde.	☐	☐
2. Uno de vosotros no ve nunca la televisión.	☐	☐
3. Cuatro personas de esta clase llevan siempre vaqueros.	☐	☐
4. Todos vais al cine a menudo.	☐	☐
5. Dos de vosotros llegáis normalmente tarde a clase.	☐	☐
6. Tres personas de esta clase no hacen nunca los deberes.	☐	☐

- ¿Te acuestas siempre tarde?
- Sí / No, ¿y tú?
- Yo también / no / tampoco / sí.

¿Lo tienes claro?

11 a) Piensa en lo que haces los fines de semana. Si necesitas alguna palabra, pregúntasela al profesor.

b) Habla con tu compañero sobre sus fines de semana y toma nota.

12 a) Usa la información de la actividad anterior y escribe sobre los fines de semana de tu compañero.

b) Dale el papel que has escrito al profesor y pídele otro.

c) Lee en voz alta el papel que te ha dado el profesor hasta que otro alumno reconozca su información y diga: «¡Soy yo!».

LA TELEADICCIÓN

1 a] Lee este artículo de un periódico y pregunta al profesor las palabras que no entiendas.

LOS ESPAÑOLES, LOS SEGUNDOS «TELEADICTOS» DE LA UE (Unión Europea)

Según los resultados de un informe elaborado por el Centro Italiano de Estudios de Tendencias Sociales, los españoles somos los segundos «teledependientes» de la Unión Europea (UE). Consumimos un total de 207 minutos diarios frente al televisor. Con estos datos podemos afirmar que la televisión o «caja tonta», como la llamamos muchos españoles, es uno de nuestros pasatiempos preferidos, o, incluso, uno de nuestros vicios secretos.

Pero lo más preocupante de estas cifras es que el telespectador más adicto es el público infantil.

Los españoles somos superados en la adicción televisiva solo por los británicos, con 228 minutos diarios, y nos siguen los franceses (178), los irlandeses (145), los holandeses (140), los alemanes (137), los belgas (132), los italianos (129) y los daneses (113).

(El Independiente, adaptada)

b] Ahora, escribe las respuestas a estas preguntas.

- ¿Qué es la UE?
- ¿Cuántos minutos diarios ven los españoles la televisión?
- ¿En qué país de la UE se ve más la televisión?
- ¿Qué personas ven más la televisión en España?
- ¿De qué dos formas llaman en este artículo a las personas que ven mucho la televisión?
- ¿Cómo llaman muchos españoles a la televisión?

2 **Piensa en estas cuestiones. Puedes usar el diccionario. Luego coméntalas con tus compañeros.**

- ¿Aparece tu país en el artículo? En caso negativo, ¿crees que en tu país veis la televisión más que en España?
- ¿Qué personas crees que ven más la televisión?
- ¿Y tú, ves mucho la televisión? ¿Cuántas horas al día?
- ¿La ves los fines de semana?
- ¿Qué tipo de programas te gustan?

3 **En parejas. Escribid un aspecto positivo y otro negativo que tiene la televisión. Podéis usar el diccionario. Luego, decídselo a la clase.**

4 **a) Mira este chiste.**

Estilo

b) En parejas. Intentad dibujar otro chiste sobre la televisión.

RECUERDA

COMUNICACIÓN

Hablar de hábitos y actividades del fin de semana

□ ¿Qué haces los sábados por la mañana?
○ Normalmente, me levanto tarde y luego hago la compra.
□ Nosotros salimos todos los sábados por la tarde. ¿Y vosotros?
○ Nosotros también.

GRAMÁTICA

Presente de indicativo, singular y plural

- Verbos regulares

  (Ver resumen gramatical, apartado 7.1.1)

- Verbos irregulares

  Ir

  (Ver resumen gramatical, apartado 7.1.2.1)

Volver	*Acostarse (o – ue).*
vuelvo	me acuesto
vuelves	te acuestas
vuelve	se acuesta
volvemos	nos acostamos
volvéis	os acostáis
vuelven	se acuestan

(Ver resumen gramatical, apartado 7.1.2.2)

Hacer, salir.

Pronombres reflexivos

Nos, os, se.

(Ver resumen gramatical, apartado 8.3)

COMUNICACIÓN

Decir con qué frecuencia hacemos cosas

- **Siempre** llego tarde a clase.
- **Normalmente** me levanto a las ocho.
- Mi amigo Raúl me escribe **a menudo**.
- **A veces** llega tarde a clase
- No hago **nunca** los deberes.
- **Nunca** hago los deberes.

GRAMÁTICA

La frecuencia

Siempre
Normalmente
A menudo
A veces
Nunca

(Ver resumen gramatical, apartado 14)

lección

13

¿Qué te pasa?

OBJETIVOS

- Preguntar a alguien cómo se siente
- Decir cómo se siente uno mismo
- Expresar dolor
- Ofrecer cosas y aceptarlas o rechazarlas
- Hacer sugerencias y aceptarlas o rechazarlas

1 **Completa las frases con las palabras del recuadro. Puedes usar el diccionario.**

• cansado/a	• calor	• sed	• preocupado/a	• hambre	• nervioso/a
• enfermo/a	• triste	• sueño	• contento/a	• frío	• miedo

Está contenta

Está ....

Tiene ....

Está ....

Tiene ....

Tiene ....

Está ....

Está ....

Tiene ....

Está ....

Tiene ....

Tiene ....

2 Escucha estas palabras y escríbelas en la columna correspondiente.

Estar	Tener
enfermo	hambre

3 Elige una palabra de la actividad 1 y haz mimo. ¿Sabe tu compañero qué te pasa?

4 a) Observa estos dibujos.

b) Intenta decir las frases de los dibujos.

c) Escucha y comprueba.

FÍJATE EN LA GRAMÁTICA

Para expresar cómo se siente uno mismo

Positivo			
¡Qué calor tengo!			– Yo también – (¿Sí? Pues) Yo no.
Estoy	muy un poco	cansada	
Negativo			
No tengo nada de sueño No estoy nada cansada			– Yo tampoco. – (¿No? Pues) Yo sí.

5 ¿VERDADERO O FALSO? Escucha las siguientes conversaciones y márcalo:

		V	F
1	1. El chico está muy nervioso.	☐	☐
	2. La chica no está muy nerviosa.	☐	☐
2	1. La señora tiene mucha hambre.	☐	☐
	2. El señor no tiene mucha hambre.	☐	☐
3	1. La chica no tiene mucha sed.	☐	☐
	2. El chico tiene mucha sed	☐	☐
4	1. El señor está muy preocupado.	☐	☐
	2. La señora no está muy preocupada.	☐	☐

6 Y tú, ¿cómo te sientes? Cuéntaselo a tu compañero.

El cuerpo humano

7 Ayuda a esta niña a escribir los nombres de las partes del cuerpo.

Simón dice…

8 De pie. Escucha las instrucciones y actúa. Haz lo que dice el profesor solo cuando sus instrucciones empiecen por «Simón dice…».

9 Escribe qué le pasa a cada una de estas personas.

- Le duele el estómago.
- Le duelen las muelas.
- Está resfriado.
- Le duele la cabeza.
- Tiene fiebre.

1. *Le duelen las muelas.*

FÍJATE EN LA GRAMÁTICA

Para expresar dolor y enfermedad

Me		la cabeza
Te	duele	el estómago
Le		la espalda
Nos		las muelas
Os	duelen	los oídos
Les		los ojos

Estoy	enfermo
Estás ...	resfriado

Tengo *Tienes* ...	fiebre	
	tos	
	gripe	
	dolor de	cabeza
		muelas

PRONUNCIACIÓN

Entonación

10 a) Escucha y lee.

- ¿Qué te pasa? ¿No te encuentras bien?
- Me duele muchísimo la cabeza.
- ¿Quieres una aspirina?
- Es que no tomo nunca.
- ¿Y por qué no vas al médico?
- Sí, si sigo así...

b) Escucha y repite.

11 En parejas, descubrid para qué son estos remedios.

(tomarse) →
- una aspirina
- un vaso de leche con coñac
- un calmante
- una manzanilla
- algo caliente
- una pastilla

(dar) un masaje

descansar

hacer gimnasia

1

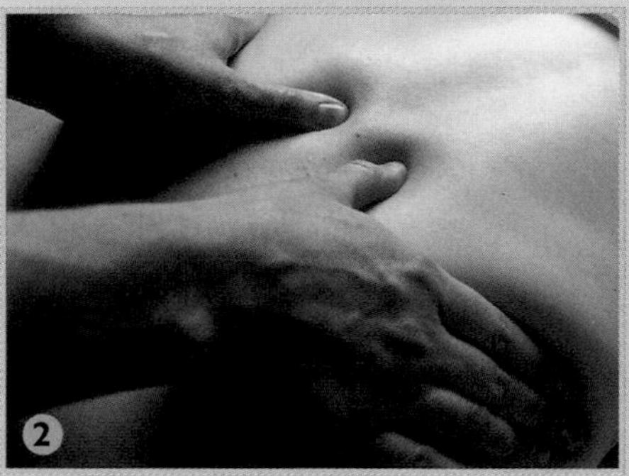
2

3

4

FÍJATE EN LA GRAMÁTICA

Ofrecimientos y sugerencias

OFRECIMIENTOS

¿Quieres	una aspirina? un vaso de leche con coñac?
¿Te doy un masaje?	

Aceptar	Rechazar
Sí, gracias. Vale.	(No.) Es que no tomo nunca. Es que no me gusta el coñac.

SUGERENCIAS

¿Por qué no te tomas	una aspirina? un vaso de leche con coñac?
¿Por qué no te vas a la cama?	

Aceptar	Rechazar	
Sí, (si sigo así...) gracias.	Es que no quiero	tomar nada. irme a la cama.

12 Escucha los siguientes diálogos y completa el cuadro.

	¿Qué le pasa?	¿Qué le ofrecen/sugieren?	¿Acepta?
1			
2			
3			
4			
5			

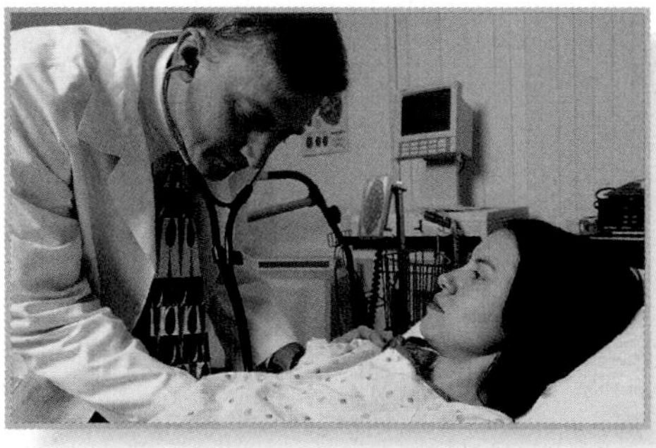

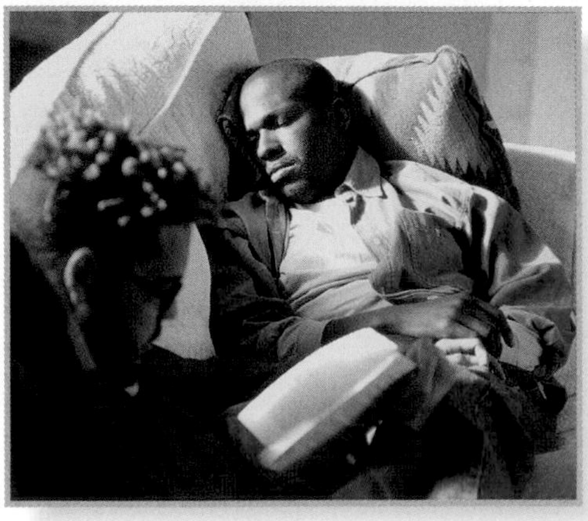

¿Lo tienes claro?

13 **Ahora vosotros. En parejas. Imagina que no te encuentras bien. Tu compañero te va a preguntar qué te pasa y te va a ofrecer o sugerir cosas. Puedes aceptar o rechazar.**

Podéis empezar así:

- ¿Qué te pasa? ¿No te encuentras bien?
- ...

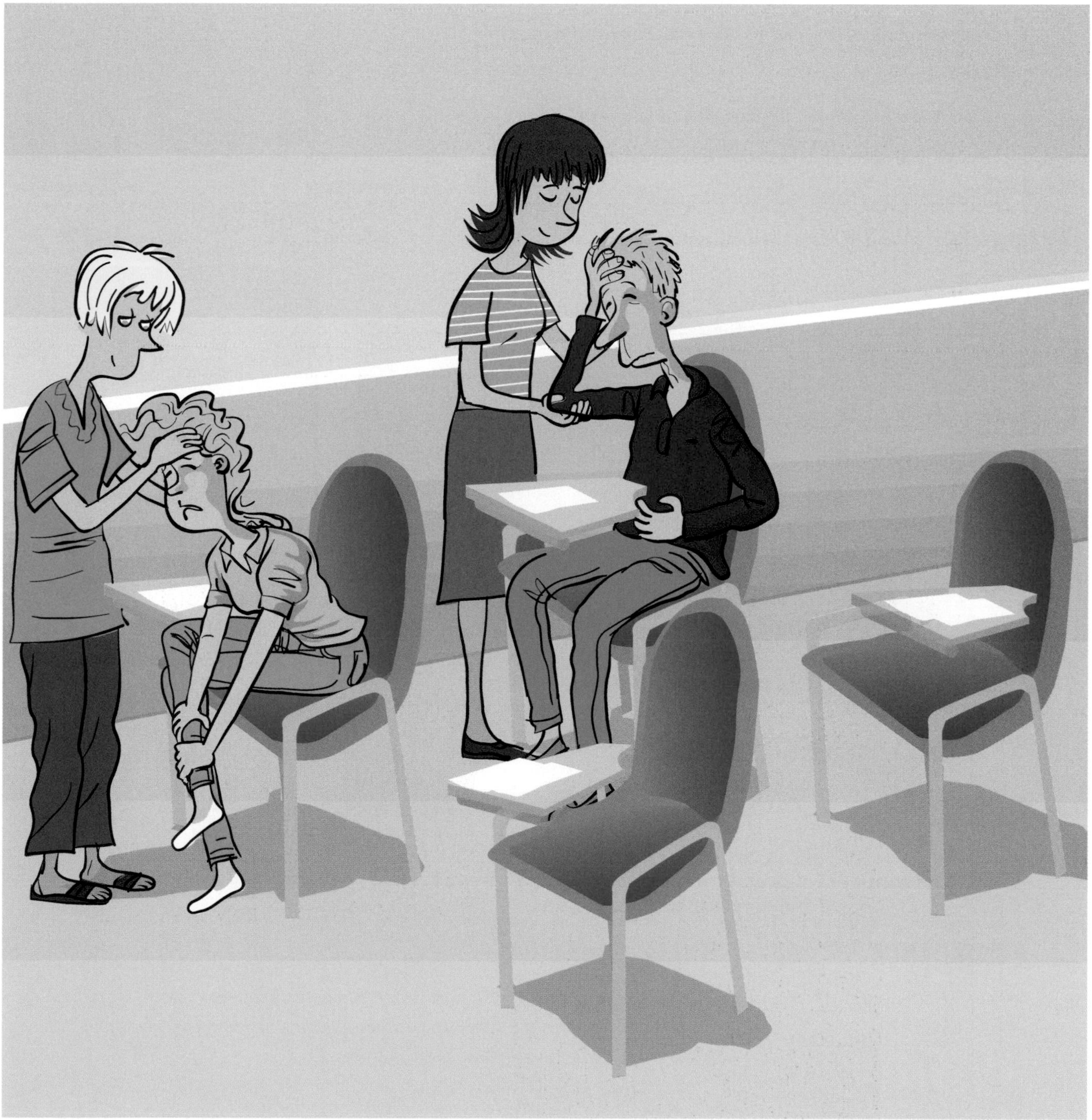

TU RITMO DE VIDA

1 Lee estas frases y pregunta a tus compañeros o al profesor qué significan las palabras que no entiendas.

	SÍ	NO
1. ¿Crees que duermes menos de lo que necesitas?	☐	☐
2. ¿Te despiertas fácilmente por la noche?	☐	☐
3. Cuando te despiertas por la noche, ¿tienes problemas para volver a dormirte?	☐	☐
4. ¿Tienes a menudo la sensación de estar cansado sin motivo?	☐	☐
5. ¿Te enfadas fácilmente?	☐	☐
6. ¿Crees que te preocupas demasiado por las cosas?	☐	☐
7. ¿Piensas que normalmente cometes demasiados errores?	☐	☐
8. ¿Consideras que haces muy poco deporte?	☐	☐
9. ¿Piensas que no descansas lo suficiente después de las comidas?	☐	☐

2 Ahora responde al cuestionario y averigua el resultado.

PUNTUACIÓN

No = 1 punto

Sí = 0 puntos

INTERPRETACIÓN

0 - 3 puntos: ¡No continúes con este ritmo de vida!

4 - 6 puntos: Intenta cambiar algunos aspectos de tu vida.

7 - 9 puntos: ¡Muy bien! Sigue así.

rica Latina

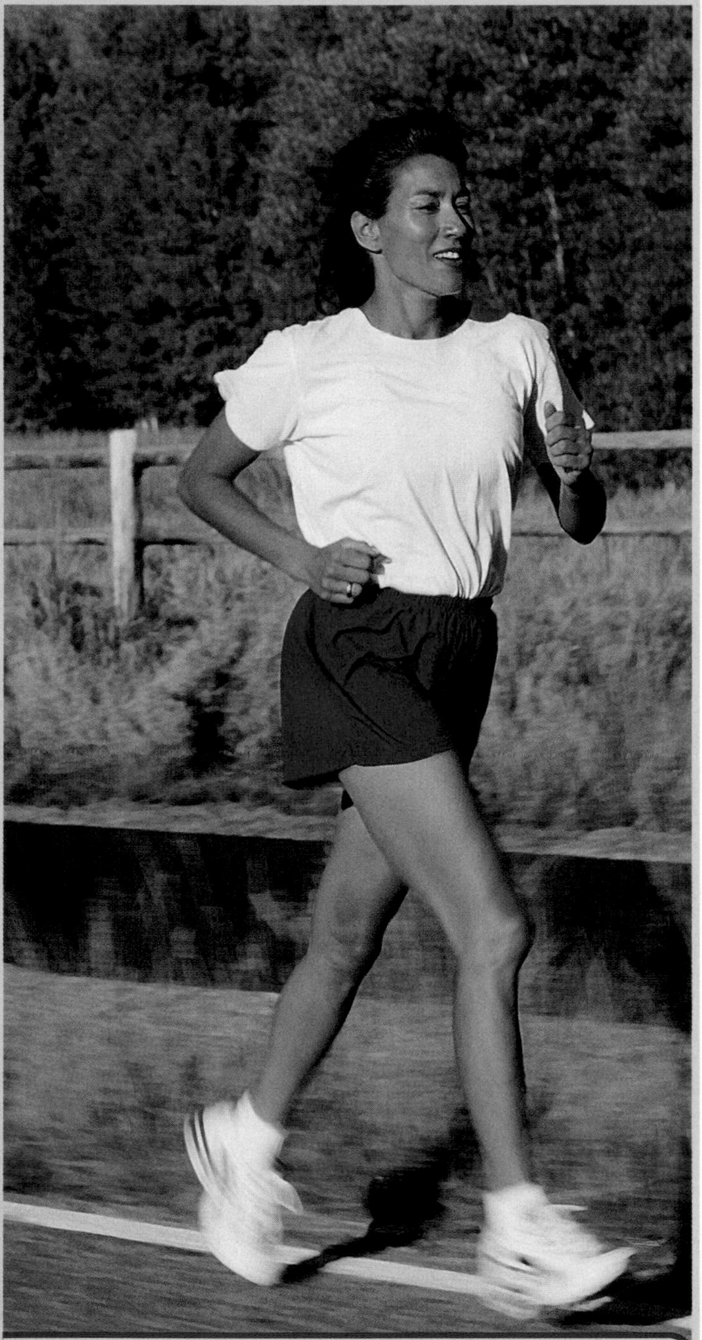

3 Piensa en las respuestas a estas preguntas y coméntalas con tus compañeros:

- ¿Estás de acuerdo con el resultado que has obtenido y la interpretación?
- ¿Consideras que puedes mejorar algunos aspectos de tu vida?, ¿cuáles?, ¿cómo?

COMUNICACIÓN

Preguntar a alguien cómo se siente
- ¿Qué te pasa?

Decir cómo se siente uno mismo
- Estoy muy nervioso.
- ¡Qué sueño tengo!

GRAMÁTICA

Muy / mucho
- *Muy* + adjetivo
 - Hoy está muy contenta.
- *Mucho/a* + **sustantivo singular**
 - Dice que tiene mucho sueño.
 - Dice que tiene mucha sed.

Verbo + *mucho*
- Me duele mucho.

(Ver resumen gramatical, apartado 15)

Frases exclamativas
- ¡*Qué* + sustantivo + verbo!
 - ¡Qué hambre tengo!
- ¡*Qué* + adjetivo + verbo!
 - ¡Qué cansada estoy!

(Ver resumen gramatical, apartado 16)

COMUNICACIÓN

Expresar dolor
- Me duele muchísimo la cabeza.
- Me duelen los brazos y las piernas.

Ofrecer cosas y aceptarlas o rechazarlas
- ¿Quieres una aspirina?
- Sí, gracias / Es que no tomo nunca.

Hacer sugerencias y aceptarlas o rechazarlas
- ¿Y por qué no vas al médico?
- Sí, si sigo así... / Es que no quiero ir.

GRAMÁTICA

Verbo *doler*: presente de indicativo
Duele, duelen.

Presente de indicativo.
- Verbos irregulares: alternancia e – *ie*

Verbo *querer*
(Yo)		Quiero
(Tú)		Quieres
(Él/ella/usted)		Quiere
(Nosotros/as)		Queremos
(Vosotros/as)		Queréis
(Ellos/as; ustedes)		Quieren

- Otros verbos frecuentes con alternancia e – *ie*
Preferir, pensar, empezar, recomendar, comenzar, despertarse.

(Ver resumen gramatical, apartado 7.1.2.2)

lección

14 ¿Cómo quedamos?

OBJETIVOS

- Iniciar una conversación telefónica
- Hablar de espectáculos: horarios y lugares
- Hacer una invitación y aceptarla o rechazarla
- Concertar citas

1 a) Observa los dibujos y completa los diálogos con las frases del recuadro. Pregunta al profesor qué significa lo que no entiendas.

- ¿De parte de quién?
- No, no está. Volverá después de comer.
- Sí, soy yo.
- Ahora se pone.
- Se ha equivocado.
- En este momento no puede ponerse.

b) Escucha y comprueba.

PRONUNCIACIÓN

Entonación

2 Escucha y repite.

- ¿Está Alberto?
  - Sí, soy yo.
  - No, no está.
  - ¿De parte de quién?
  - Un momento, ahora se pone.
  - No es aquí. Se ha equivocado.

3 ¿Qué dices por teléfono en cada una de estas situaciones? Fíjate en la actividad 1 y escríbelo.

1	¿Diga? ¿Está Pablo?	Pregunta por Pablo
2	¿Está Félix?	Di que eres tú
3	¿Está Juana, por favor?	Juana no vive contigo
4	¿Está Jaime?	Sí, está en el baño
5	¿El señor Acosta, por favor?	Pregunta quién le llama
6	¿Sí?	Pregunta por Ángeles
7	¿Está Mario, por favor?	Di que le vas a avisar

4 Escucha estos diálogos y marca en el cuadro lo que pasa en cada caso.

	Comunica	No contesta	No está en casa	No puede ponerse	Es esa persona	Se ha equivocado
1						
2						
3						
4						
5						
6						
7						

5 En parejas (A-B). Tapa las instrucciones de tu compañero y lee sólo las que te correspondan. Luego habla por teléfono con tu compañero.

Alumno A

1. Contesta al teléfono, infórmate de quién llama y reacciona (como quieras) a lo que te diga tu compañero.
2. Llama por teléfono a casa de tu compañero y pregunta por la persona que quieras.

Alumno B

1. Llama por teléfono a casa de tu compañero y pregunta por Cecilia, su hermana.
2. Contesta al teléfono, infórmate de quién llama y reacciona (como quieras) a lo que te diga tu compañero.

6 Observa estos anuncios y entradas, y señala verdadero o falso. Puedes usar el diccionario.

	V	F
1. En la galería Jorge Mara hay un espectáculo de tangos.	☐	☐
2. El Último de la Calle cierra un día a la semana.	☐	☐
3. El concierto de Habana Abierta es el 2 de agosto.	☐	☐
4. El domingo por la noche puedo cenar en el restaurante Artemisa.	☐	☐
5. En el cine Renoir Plaza España ponen la película *Uno de los nuestros*.	☐	☐

7 **Lee las siguientes preguntas y busca las respuestas en los anuncios y entradas de la actividad 6.**

- ¿Qué película ponen en el cine Renoir Plaza España?
- ¿Qué exposición hay en la galería Jorge Mara?
- ¿Qué tipo de comida se puede tomar en El Viejo Almacén de Buenos Aires?
- ¿Qué día actúa Habana Abierta?
- ¿Cuánto cuesta una entrada de cine?

8 **a) En parejas. Pensad en algunos espectáculos de actualidad y escribid una pregunta sobre cada uno de ellos.**

b) Haced las preguntas a otra pareja. ¿Saben las respuestas?

Invitaciones

9 **a) Escucha estos dos diálogos con el libro cerrado y ayuda al profesor a escribirlos en la pizarra.**

1
- ¿Vamos a tomar algo?
- Vale. De acuerdo.

2
- ¿Quieres venir al cine conmigo?
- Lo siento, pero no puedo. Es que tengo que estudiar.

b) Ahora practícalos con tu compañero.

10 a) Lee la siguiente lista de actividades. Señala dos que te gustaría hacer y dos que no quieres hacer.

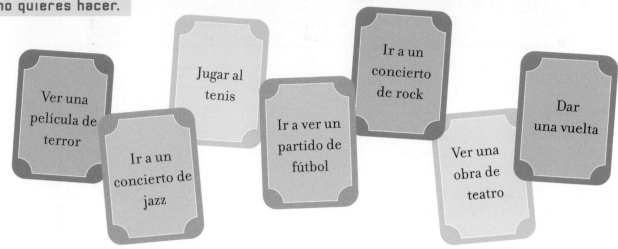

- Ver una película de terror
- Ir a un concierto de jazz
- Jugar al tenis
- Ir a ver un partido de fútbol
- Ir a un concierto de rock
- Ver una obra de teatro
- Dar una vuelta

b) Invita a dos compañeros a lo que te gustaría hacer. Si te invitan a ti, puedes aceptar o rechazar la invitación; en este último caso, pon una excusa.

Citas

11 a) Lee estas frases y pregunta al profesor qué significa lo que no entiendas. Luego, intenta ordenar el diálogo.

- Vale. De acuerdo. ¿Y qué podemos hacer? ¿Hay algo interesante? [ ]
- Pues mira, hay una exposición de Miró en el Reina Sofía. [ ]
- Es que no me va bien tan pronto. ¿Qué te parece a las seis?
- ¡Ah! Muy bien. Me encanta Miró. ¿Cómo quedamos? [ ]
- Oye, ¿nos vemos mañana por la tarde? [1]
- Vale. Entonces quedamos a las seis. [7]
- No sé... podemos quedar a las cinco en la puerta. [ ]

b) Escucha y comprueba.

PRONUNCIACIÓN

Entonación

12 Escucha y repite.

- ¿Nos vemos mañana por la tarde?
- ¿Qué podemos hacer?
- ¿Hay algo interesante?
- ¿Cómo quedamos?
- No me va bien tan pronto.
- ¿Qué te parece a las seis?

FÍJATE EN LA GRAMÁTICA

Invitaciones y citas

Hacer una invitación

- ¿Vamos al cine esta noche? ¿Quieres venir?

Aceptar o rechazar una invitación

- Vale / De acuerdo / Muy bien.
- Lo siento, pero no puedo. Es que tengo que estudiar / un compromiso.

Concertar citas

- ¿Quedamos mañana por la noche? ¿Nos vemos mañana por la noche?
- ¿Cómo quedamos?
- Podemos quedar a las ocho delante del cine.
- No me va bien (a esa hora).
- ¿Qué te parece a las nueve?
- Muy bien / Vale / De acuerdo.

13 Escucha estas conversaciones entre amigos y completa el cuadro.

	¿Quedan?	¿Qué día?	¿A qué hora?	¿Dónde?	¿Para qué?
1			a las 6		no se sabe
2		el miércoles			
3					
4					
5	sí			en el bar de enfrente	

14 a) Consulta la cartelera de un periódico local y completa tres días de tu agenda con las actividades que quieres hacer.

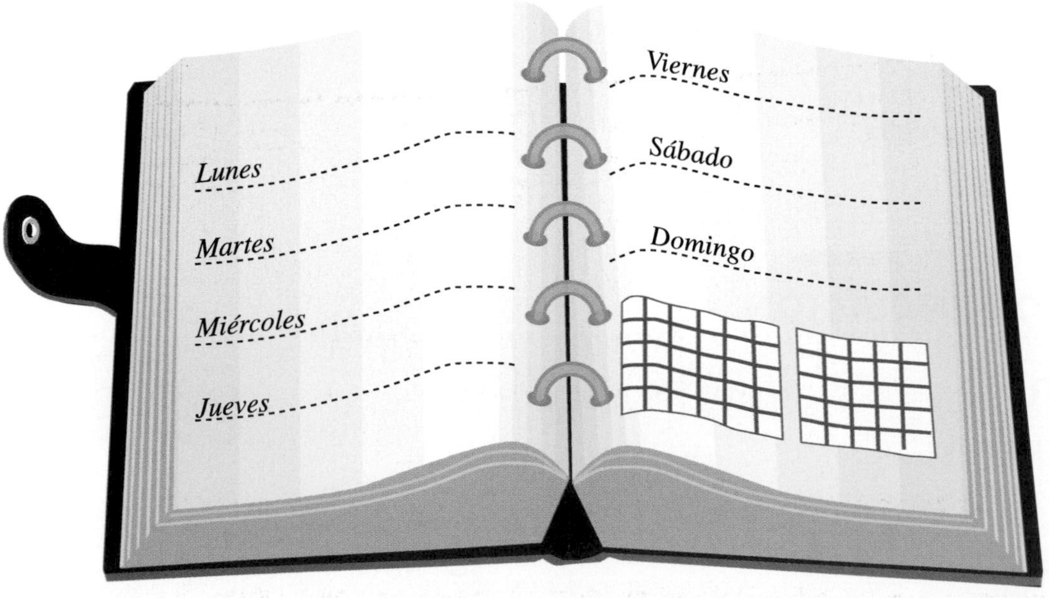

b) Elige un espectáculo que te gustaría ver. Luego llama por teléfono a uno o varios de tus compañeros para quedar con alguno que quiera y pueda acompañarte.

¿Lo tienes claro?

15 a] Lee estas invitaciones y estas respuestas. Luego, emparéjalas.

A

Vale.
Te acompaño el lunes al cine.
Te veo mañana.

Araceli.

D

Andrea:
¿Vamos a bailar
el viernes por la noche?
Espero tu respuesta.
Un beso.

B

MARISA:
NO PUEDO IR CONTIGO
AL CONCIERTO. TENGO
UN COMPROMISO.

E

Pepe:
Tengo entradas para el
concierto de Los Armónicos,
el sábado. ¿Quieres venir?
Llámame.

C

¿Quieres venir
al estreno de
'El amigo mexicano'? Es el
lunes a las 10 en el Fuencarral.
Dímelo pronto.

Toni.

F

ADOLFO:
DE ACUERDO,
VAMOS A BAILAR
EL VIERNES. TE LLAMO
PARA QUEDAR. BESOS.

b] Ahora escribe una invitación, pero no la firmes. Luego, dásela al profesor.

c] Lee la invitación que te ha dado el profesor y escribe una respuesta.

Descubre España y Amé

PELÍCULAS DE ESPAÑA Y AMÉRICA LATINA

1 Mira este cartel y escribe:

El título de la película.
....
....

Cómo lo traducirías en tu lengua.
....
....

El nombre de la actriz principal.
....
....

El nombre del director.
....
....

El número de cines que la ponen.
....
....

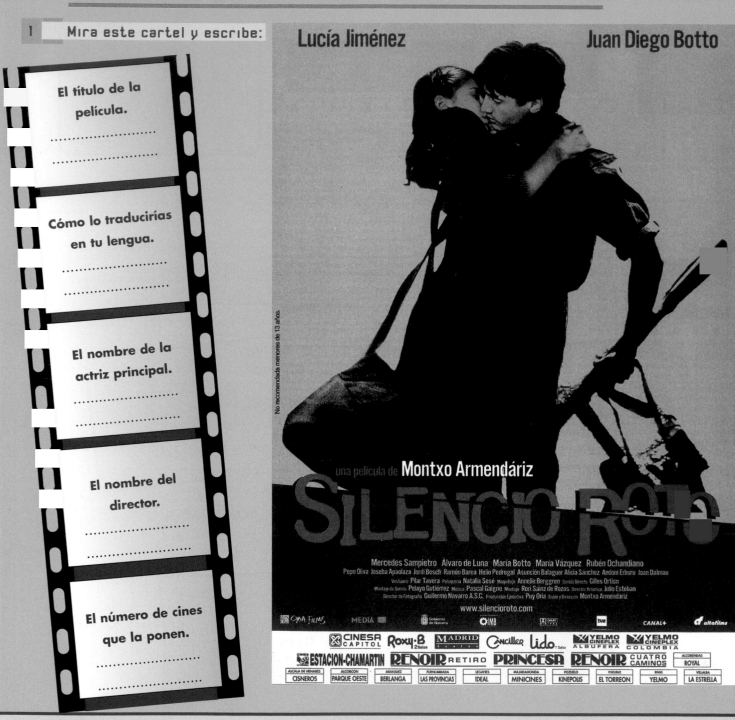

2 Ahora piensa en una película que has visto recientemente. Di a tu compañero quiénes son el actor y la actriz principales, el director y en qué cine la ponen. ¿Sabe qué película es?

3 a] Lee estos títulos de películas. Pregunta al profesor las palabras que no entiendas.

BARRIO

TAXI para tres

Nueve Reinas

¡Ay, Carmela!

LA VENDEDORA DE ROSAS

FRESA Y CHOCOLATE

El SUR

LAS CARTAS DE ALOU

FLORES DE OTRO MUNDO

UN LUGAR EN EL MUNDO

LA FAMILIA

la primera noche

Una casa con vistas al mar

b] Elige uno de esos títulos y haz mimo para que tus compañeros adivinen cuál es. ¡Recuerda que no puedes hablar!

RECUERDA

COMUNICACIÓN

Iniciar una conversación telefónica

¿Diga? / ¿Dígame? / ¿Sí?

- ¿Está Ignacio?
- Sí, soy yo.
- ¿De parte de quién?
- Un momento, ahora se pone.
- En este momento no puede ponerse. Está en la ducha.
- No, no está.
- No, no es aquí. Se ha equivocado.

GRAMÁTICA

Presente de indicativo

■ Verbos irregulares: alternancia *o – ue*

Verbo *poder*

COMUNICACIÓN

Hablar de espectáculos: horarios y lugares

- ¿Qué día actúa Rita Sosa?
- ¿A qué hora?
- ¿En qué cine ponen *El Sur*?
- ¿Qué hay en la Galería Estampa?

Hacer una invitación y aceptarla o rechazarla

□ ¿Vamos al cine esta noche? ¿Quieres venir?

o Vale / De acuerdo / Muy bien.

o Lo siento, pero no puedo. Es que tengo que estudiar / un compromiso.

Concertar citas

- ¿Quedamos mañana por la noche?
- ¿Nos vemos mañana por la noche?
- ¿Cómo quedamos?
- Podemos quedar a las ocho delante del cine.
- No me va bien (a esa hora).
- ¿Qué te parece a las nueve?
- Muy bien / Vale / De acuerdo.

GRAMÁTICA

Otros verbos frecuentes con alternancia *o – ue*:

Volver, doler, acostarse, contar, dormir, encontrar, acordarse, costar

(Ver resumen gramatical, apartado 7.1.2.2)

***Querer* + infinitivo**

- ¿Quieres ir al teatro esta tarde?

***Poder* + infinitivo**

- Ahora no puede ponerse. Está en una reunión.
- Podemos ir a ver una exposición.

lección

15

¿Qué hiciste ayer?

OBJETIVOS

- Hablar del pasado: expresar lo que se hizo ayer

1 a) Lee el diálogo de estos dos compañeros de clase y responde a las preguntas.

- ¿Qué hiciste ayer por la tarde? ¿Saliste?
- No, me quedé en casa. Vino Rosa y vimos una película en la televisión. Y tú, ¿qué hiciste?
- Pues yo quedé con Gloria y fuimos a dar una vuelta. Estuvimos en el parque del Oeste, luego tomamos algo y volvimos a casa un poco tarde.

1. ¿De qué día están hablando?
2. ¿Hicieron los dos lo mismo?

b) En el diálogo se usa un tiempo del pasado, el pretérito indefinido. Léelo otra vez y relaciona estos verbos con las formas que aparecen en el diálogo.

Tomar	Volver	Salir	Quedar	Hacer	Venir	Ir	Estar
Tomamos							

FÍJATE EN LA GRAMÁTICA

Pretérito indefinido

Verbos regulares

	Verbos acabados en		
	-ar	*-er*	*-ir*
	Tomar	*Volver*	*Salir*
Yo	tomé	volví	salí
Tú	tomaste	volviste	saliste
Él/ella/usted	tomó	volvió	salió
Nosotros/as	tomamos	volvimos	salimos
Vosotros/as	tomasteis	volvisteis	salisteis
Ellos/ellas/ustedes	tomaron	volvieron	salieron

Verbos irregulares

	Hacer	*Venir*	*Ir/Ser*	*Estar*
Yo	hice	vine	fui	estuve
Tú	hiciste	viniste	fuisteis	estuviste
Él/ella/usted	hizo	vino	fue	estuvo
Nosotros/as	hicimos	vinimos	fuimos	estuvimos
Vosotros/as	hicisteis	vinisteis	fuisteis	estuvisteis
Ellos/ellas/ustedes	hicieron	vinieron	fueron	estuvieron

2 Y tú, ¿hiciste ayer alguna de las cosas que mencionan en la actividad 1? Díselo a tu compañero.

- *Yo también (me quedé en casa)...*

3 En grupos de tres. Por turnos, cada alumno elige un verbo y lo conjuga, en la persona indicada, en pretérito indefinido. Si lo hace correctamente, escribe su nombre en esa casilla. Gana quien obtiene tres casillas seguidas.

Trabajar (yo)	Comer (ella)	Levantarse (tú)	Salir (nosotros)	Hablar (ustedes)
Venir (ellos)	Jugar (nosotras)	Ir (yo)	Estar (él)	Ser (tú)
Ducharse (tú)	Hacer (ustedes)	Estudiar (usted)	Escribir (yo)	Quedar (vosotros)
Vivir (usted)	Acostarse (tú)	Beber (nosotras)	Tomar (ellos)	Ver (ella)

4 a] ¿Hiciste ayer estas cosas? Señálalo en la columna correspondiente.

	Tú		
Levantarse pronto			
Volver a casa tarde			
Hacer los deberes			
Usar el ordenador			
Salir con alguien			
Estar con los amigos			
Ir al cine			
Hacer deporte			
Ver la televisión			

b] En grupos de tres. Averigua si las hicieron tus compañeros y señálalo en el cuadro.

- ¿Te levantaste pronto ayer?
- (Sí, ¿y tú?)
- (Yo | también.)
  | no.

c] Observad el cuadro y decidle a la clase quién de vosotros hizo más de esas cosas ayer.

PRONUNCIACIÓN

La sílaba fuerte

5 a] Escucha estas formas verbales y escríbelas en la columna correspondiente.

■□	□■	□■□
	To mé	

b] Elige otras formas del indefinido que te parezcan difíciles de pronunciar.

c] Díselas al profesor para que te ayude a practicarlas si lo necesitas.

6 a] Piensa en otras tres cosas que hiciste ayer y a qué hora hiciste cada una de ellas. Luego, anótalo.

A las seis de la tarde fui al gimnasio

b] Dile solo las horas a un compañero para que adivine lo que hiciste.

- *Las 6 de la tarde.*
- *A las 6 de la tarde fuiste al cine.*
- *No.*
- *Volviste a casa.*
- *No, volví más tarde.*
- *¡Ah! Fuiste al gimnasio.*
- *Sí, a las 6 de la tarde fui al gimnasio.*

7 Escucha la conversación en la que Mónica le dice a un amigo lo que hizo ayer y completa el cuadro.

Por la mañana:	*hizo un examen*
Por la tarde:	
Por la noche:	

8 a) Observa lo que hizo la señora Paca ayer.

b) Lee las frases y señala si son verdaderas o falsas.

	V	F
1. La señora Paca estuvo en la piscina ayer.	☐	☐
2. Fue en bicicleta.	☐	☐
3. Paseó con el perro.	☐	☐
4. Vio un vídeo en su casa.	☐	☐
5. Comió con su novio.	☐	☐
6. Utilizó el ordenador y envió unos correos electrónicos.	☐	☐
7. Salió con su nieta y estuvo en una cafetería con ella.	☐	☐
8. Se acostó muy pronto.	☐	☐

c) Sustituye las frases falsas por otras verdaderas.

9 Escribe cinco frases expresando otras cosas que crees que hizo la señora Paca. Intercámbialas con un compañero y corrige las suyas. ¿Coincide alguna información?

10 a) Lee esta ficha escrita por una persona que conoció ayer a la señora Paca.

Ayer conocí a la señora Paca.
Después de saludarla, le dije:
"¿Quiere venir a un concierto de salsa?".
Y ella me contestó:
"Sí, gracias; me encanta la salsa".
Entonces fuimos a un concierto
y bailamos mucho.
Luego estuvimos con unos amigos.
Y volvimos a casa un poco tarde.

b) Ahora completa tú la ficha con las informaciones que quieras.

Ayer conocí a la señora Paca.
Después de saludarla, le dije:
"..".
Y ella me contestó:
"..".
Entonces ....
Luego ....
Y ....

c) Léesela a tus compañeros y averigua si ellos han escrito algo divertido.

¿Lo tienes claro?

11 a] Piensa en lo que hiciste ayer y cuéntaselo a un compañero con el que no hayas trabajado en esta lección.

- *Ayer me levanté a las...*

b] ¿Hay muchas cosas que hicisteis los dos? Decídselas a la clase y averiguad cuál es la pareja con más coincidencias.

- *Pues ayer, (Claudia) y yo...*

EL NOMBRE DE ARGENTINA

1 Busca en el diccionario el significado de la palabra *plata* (metal). ¿Qué relación puede tener esa palabra con el nombre de Argentina? Coméntalo con tus compañeros.

2 Lee el texto y comprueba. Puedes usar el diccionario.

EL NOMBRE DE ARGENTINA

El nombre de Argentina viene de *argentum*, que en latín significa plata. Su origen está en los viajes de los primeros conquistadores españoles al Río de la Plata. Los náufragos de la expedición de Juan Díaz de Solís encontraron en la región a indígenas que les regalaron objetos de plata. Luego, hacia el año 1524, llevaron a España la noticia de la existencia de la legendaria Sierra del Plata, una montaña rica en ese metal precioso. A partir de esa fecha, los portugueses llamaron Río de la Plata al río de Solís. Dos años después, los españoles utilizaron también esa denominación. Desde 1860, el nombre República Argentina es la denominación oficial del país.

Fuente: Secretaría de Turismo de la Nación de la República Argentina.

3 Lee de nuevo y subraya la opción correcta.

1. El nombre de Argentina es de origen americano / europeo.
2. Los indígenas recibieron bien / mal a los españoles que fueron con Juan Díaz de Solís.
3. Los españoles / portugueses fueron los primeros que usaron el nombre de Río de la Plata.
4. El nombre oficial de República Argentina existe desde el siglo XVI / XIX.

4 ¿Hay algo que te parezca curioso o interesante? Coméntalo con tus compañeros.

RECUERDA

COMUNICACIÓN

Hablar del pasado: expresar lo que hicimos ayer.

- ¿Qué hiciste ayer por la tarde? ¿Saliste?
- No, me quedé en casa y luego me acosté muy pronto.
- Pues yo estuve con Héctor y fuimos a cenar a un restaurante mexicano.

GRAMÁTICA

Pretérito indefinido

■ Verbos regulares

Hablar	*Comer*	*Salir*
hablé	comí	salí
hablaste	comiste	saliste
habló	comió	salió
hablamos	comimos	salimos
hablasteis	comisteis	salisteis
hablaron	comieron	salieron

(Ver resumen gramatical, apartado 7.2.1)

■ Verbos irregulares

Hacer	*Venir*	*Estar*	*Ir/Ser*
hice	vine	estuve	fui
hiciste	viniste	estuviste	fuiste
hizo	vino	estuvo	fue
hicimos	vinimos	estuvimos	fuimos
hicisteis	vinisteis	estuvisteis	fuisteis
hicieron	vinieron	estuvieron	fueron

(Ver resumen gramatical, apartado 7.2.2.2)

(Ver resumen gramatical, apartado 7.2.2.1)

lecciones

Repaso

11-12-13-14-15

1 DÍA A DÍA

a) Escribe estas actividades en el orden en que las realizas un día normal.

• comer	• volver a casa	• levantarse
• hacer los deberes	• empezar las clases	• desayunar
• acostarse	• terminar las clases	• cenar

1. *levantarse*

b) Ahora escribe un texto sobre las cosas que haces un día normal y a qué hora.

- *Normalmente me levanto a las... Luego...*

c) Coméntalo con tus compañeros y busca uno con el que coincidas en cuatro cosas.

- *Yo normalmente me levanto a las..., ¿y tú?*
- *Yo, también / a las...*

d) Decídselo a la clase.

- *(Marco) y yo...*

2 ¿CON QUÉ FRECUENCIA?

Campo · Tenis · Compra · Copas · Limpieza · Compras

a) Forma una expresión a partir de cada palabra.

Ir al campo.

b) ¿Haces esas cosas con frecuencia los fines de semana? Escríbelo.

A veces voy al campo los fines de semana.

c) Compara tu texto con el de tu compañero. ¿Creéis que podríais pasar los fines de semana juntos?

3 ¿QUÉ HICISTE AYER?

a) ¿Qué verbos te parecen más difíciles en pretérito indefinido? Utilízalos para escribir frases verdaderas o falsas sobre lo que hiciste ayer.

b) Intercámbialas con un compañero para descubrir las falsas.

4 JUEGO DE VOCABULARIO

a) Haz una lista de seis palabras o expresiones difíciles que has aprendido en las lecciones 11-15.

b) Enséñaselas a tu compañero y explícale las que no entienda. Si coinciden algunas, pensad en otras nuevas hasta completar la lista de doce en total.

c) Pasadle la lista a otra pareja para que escriba una frase con cada una de las palabras o expresiones que aparecen. Gana la pareja que escriba correctamente más frases.

5 JUEGO DE REPASO

En grupos de cuatro. Juega con un dado y una ficha de color diferente a la de tus compañeros.

SALIDA	1 Tu pueblo o tu ciudad	2 Tu actor favorito	3 El centro donde estudias español	4 Tu música preferida	5 Tu habitación	6 Tus compañeros te pueden hacer una pregunta
12 Pregunta lo que quieras a un compañero	11 Un aspecto de la vida española que te gusta	10 Tus padres	9 Tu profesor de español	8 Los deportes que te gustan	7 Tu novio/a	
	13 Tu casa ideal	14 Algunos remedios que aprendiste en la lección 13	15 Los sábados por la mañana	16 Un famoso que no te gusta nada	17 ¿Por qué estudias español?	18 Tus compañeros te pueden hacer una pregunta
24 Pregunta lo que quieras a un compañero	23 Tu actriz favorita	22 Un programa de televisión que no te gusta	21 ¿Qué hiciste ayer por la mañana?	20 Tu jefe o director del centro donde estudias	19 Tu cantante o grupo preferido	
	25 Tus hermanos/as	26 Los domingos por la tarde	27 Tu medio de transporte preferido	28 Este libro	29 Una ciudad que te gusta mucho	30 Tus compañeros te pueden hacer una pregunta
36 Pregunta lo que quieras a un compañero	35 ¿Qué hiciste ayer por la noche?	34 Un espectáculo que hay ahora en tu ciudad	33 ¿Qué hiciste ayer por la tarde?	32 Un personaje famoso que te gustaría ser	31 Un buen amigo	
	37 El hombre/ la mujer de tus sueños	38 Una ciudad española que quieres visitar	39 Lo que haces un día normal	40 Un director de cine que te gusta	41 Los viernes por la noche	LLEGADA

Instrucciones

1. Por turnos. Tira el dado y avanza el número de casillas que indique.
2. Habla del tema de la casilla en la que caigas.
3. ¡Atención a las casillas en las que puedes hacer una pregunta a un compañero o te la pueden hacer a ti!

Preparación de la tarea

a) Mira esta cartelera y escribe las respuestas a las preguntas.

1. ¿Qué día actúa Tanita Tikaram en Madrid?
2. ¿Dónde puedes ver la exposición de María Elena Vieira da Silva?
3. ¿Quién es el director de *Amor perseguido*?
4. ¿Quién es el protagonista de *Dancing Machine*?
5. ¿Cuántos conciertos de música de Mozart hay en mayo?

Calendario MAYO

Lunes	Martes	Miércoles	Jueves	Viernes	Sábado	Domingo
		1 Madrid en danza (Sala Olimpia y Centro Cultural de la Villa)	2 FIESTAS DEL 2 DE MAYO Gipsy Kings (Plaza de Colón)	3	4 50 aniversario del hipódromo de la Zarzuela	5 *La Flauta Mágica* de Mozart (Auditorio Nacional)
6	7	8	9 *Bastián y Bastiana* de Mozart (Real Coliseo)	10 *Dancing Machine* (con Alain Delon) La Unión (Pab. Real Madrid)	11	12 Tenessee (Pabellón del Real Madrid)
13 Los Sencillos Godfathers (Pabellón del Real Madrid)	14 Los Limones Tam Tam Go (Pabellón del Real Madrid)	15 Frant 242 (Universal Sur) FIESTA SAN ISIDRO *Amor perseguido* (de Alan Rudolph)	16 Cómplices (Pabellón del Real Madrid)	17 *Escenas en una galería* (de Woody Allen) *María Elena Vieira da Silva* (Juan March)	18 Espontáneos La Frontera (Pabellón del Real Madrid)	19
20	21 21° aniversario de la muerte de Bob Marley Pet Shop Boys (Palacio de deportes)	22	23	24 *Tratado de pintura* (Espectáculo coreográfico sobre la poética del movimiento de Leonardo Da Vinci)	25 Recital de Irwing Cage (Auditorio Nacional)	26
27 The Silencers (Universal Sur)	28 Inspiral Carpets (Universal Sur)	29 Tanita Tikaram (Palacio de los Congresos)	30 *Nuevos rebeldes* *El placer de los extraños*	31 Orquesta de Cámara de Holanda (Auditorio Nacional)		

b) Escucha esta llamada telefónica y completa el cuadro.

¿A qué le invita?	
¿Para qué día es la invitación?	
¿Acepta?	
¿A qué hora quedan?	
¿Dónde quedan?	

c) Ahora mira la información del cuadro y la de la cartelera y di qué día del mes de mayo están hablando por teléfono.

¿Quedamos para salir?

En marcha

1 Imagina que estamos a 12 de mayo, domingo. Consulta la cartelera de la próxima semana y elige un espectáculo que te gustaría ver.

2 Llama por teléfono a tu compañero e invítale.

- ¿Quieres venir (al cine el viernes)?
- ¿Hay algo interesante?
- Sí, ponen...
- Lo siento, pero...
- Bueno, ¿y por qué no vamos (al concierto de)...?
- ¡Vale! Me encanta... ¿Cómo quedamos?
- ¿Quedamos...?
- De acuerdo...

3 Elige otro espectáculo de la próxima semana y escríbele una nota de invitación a otro compañero.

4 Entrégale la nota a ese compañero y lee la que recibas. Luego escribe una respuesta y dásela al compañero que te ha invitado.

resumen gramatical

1 El alfabeto

LETRA	NOMBRE DE LA LETRA	SE PRONUNCIA	EJEMPLO
A, a	a	/a/	L**a** H**a**b**a**n**a**
B, b	be	/b/	**B**arcelona
C, c	ce	/θ/, /k/	**C**armen, **c**ine
Ch, ch	che	/ʃt/	**Ch**ile
D, d	de	/d/	a**d**iós
E, e	e	/e/	**E**spaña
F, f	efe	/f/	telé**f**ono
G, g	ge	/g/, /x/	Mála**g**a, Án**g**el
H, h	hache	–	**h**otel
I, i	i	/i/	**I**tal**i**a
J, j	jota	/x/	**J**apón
K, k	ka	/k/	**k**ilómetro
L, l	ele	/l/	**L**ima
Ll, ll	elle	/l̬/	**Ll**uvia
M, m	eme	/m/	**M**adrid
N, n	ene	/n/	**n**o
Ñ, ñ	eñe	/ɲ/	Espa**ñ**a
O, o	o	/o/	T**o**led**o**
P, p	pe	/p/	**P**erú
Q, q	cu	/k/	**Q**uito
R, r	erre	/r̄/, /r/	guita**rr**a, ae**r**opue**r**to
S, s	ese	/s/	**s**í
T, t	te	/t/	**t**ea**t**ro
U, u	u	/u/	**U**r**u**guay
V, v	uve	/b/	**V**enezuela
W, w	uve doble	/w/, /b/	**w**hisky, **w**ater
X, x	equis	/ks/, /s/	ta**x**i, e**x**tranjero
Y, y	i griega	/y/, /i/	**y**o, Paragua**y**
Z, z	zeta	/θ/	pla**z**a

Observaciones:

- La letra *h* no se pronuncia en español (*hola, hospital*).
- Las letras *b* y *v* se pronuncian igual: /b/ (*Buenos Aires, Valencia*).
- El sonido /r̄/ se escribe con:
  - *rr* entre vocales (*perro*).
  - *r* al principio de palabra (*Roma*) o detrás de *l*, *n* y *s* (*alrededor, Enrique, Israel*).

  En los demás casos, la *r* se pronuncia /r/, por ejemplo, *pero*.
- La letra *x* se pronuncia /s/ delante de consonante (*exterior*).
- Las letras *c*, *z* y *q*:

SE ESCRIBE	SE PRONUNCIA
za	/θa/
ce	/θe/
ci	/θi/
zo	/θo/
zu	/θu/

SE ESCRIBE	SE PRONUNCIA
ca	/ka/
que	/ke/
qui	/ki/
co	/ko/
cu	/ku/

- Las letras *g* y *j*:

SE ESCRIBE	SE PRONUNCIA
ga	/ga/
gue	/ge/
gui	/gi/
go	/go/
gu	/gu/
güe	/gue/
güi	/gui/

SE ESCRIBE	SE PRONUNCIA
ja	/xa/
je, ge	/xe/
ji, gi	/xi/
jo	/xo/
ju	/xu/

2 El sustantivo

2.1. GÉNERO DEL SUSTANTIVO

Masculino	Femenino	Masculino o femenino
-o	*-a*	*-e*
		-consonante

- el teléfono
- la tienda
- la clase
- el restaurante
- el hospital
- la canción

Observaciones:

- El sexo determina el género del sustantivo en los casos de personas y animales.
  - El hij**o** → la hij**a** • El gat**o** → la gat**a**

  Algunos de estos sustantivos tienen una forma diferente para cada sexo.
  - **El hombre → la mujer** • **El padre → la madre**
- Muchos sustantivos terminados en *-ante* o *-ista* son masculinos y femeninos.
  - El estudi**ante** • La estudi**ante**
  - El art**ista** • La art**ista**
- Muchos sustantivos terminados en *-ma* son masculinos.
  - **El** proble**ma** • **El** progra**ma**
- Algunos sustantivos terminados en *-o* son femeninos.
  - **La** radi**o** • **La** man**o**

2.2. NÚMERO DEL SUSTANTIVO

Singular terminado en	Para formar el plural, se añade
-a, -e, -i, -o, -u	*-s*
-á, -é, -ó	
consonante	*-es*
-í, -ú	

- médico → médico**s**
- café → café**s**
- hospital → hospital**es**

Observaciones:

- Los sustantivos terminados en *-z* hacen el plural cambiando la *z* por *c* y añadiendo *-es.*
  - Actri**z** → actri**ces**
- Algunos sustantivos terminados en *-s* no cambian en plural.
  - **El** lune**s** → **los** lune**s**
- Algunos sustantivos terminados en *-í* o en *-ú* forman el plural añadiendo *-s.*
  - **El** esqu**í** → **los** esquí**s** • **El** men**ú** → **los** men**ús**

3 El adjetivo calificativo

3.1. GÉNERO DEL ADJETIVO CALIFICATIVO

Masculino	Femenino	Masculino o femenino
-o	*-a*	*-e*
		-consonante

- sueco
- sueca
- verde
- azul

Observaciones:

- El adjetivo calificativo concuerda con el sustantivo en género y número.
  - Mi profesor es colombian**o** • Mi profesor**a** es colombian**a**
- Los adjetivos de nacionalidad terminados en consonante hacen el femenino añadiendo *-a*.
  - Francé**s** - frances**a** • Andalu**z** - andaluz**a**
- Los adjetivos de nacionalidad que terminan en *-a* o en *-í* son invariables.
  - Belg**a** • Iran**í**

3.2. NÚMERO DEL ADJETIVO CALIFICATIVO

El plural de los adjetivos calificativos se forma de la misma manera que el de los sustantivos (ver cuadro 2.2).

- Alto - alto**s** • Delgada - delgada**s** • Verde - verde**s**
- Gris - gris**es** • Japonés - japones**es** • Marroquí - marroquí**es**

4 Artículos

El artículo concuerda con el sustantivo en género y número.

- **El** camarer**o** - **los** camarer**os** • **Una** cart**a** - **unas** cart**as**

En el caso de los sustantivos invariables, el artículo marca el género y el número.

- **Un** cantant**e** - **una** cantant**e** • **El** mart**es** - **los** mart**es**

4.1. ARTÍCULOS DETERMINADOS

	Masculino	Femenino
Singular	*el*	*la*
Plural	*los*	*las*

Se usa el artículo determinado cuando los hablantes conocen la identidad de la persona o cosa mencionada.

—Le presento a Mónica, **la** nueva secretaria.

—Vivo en **la** calle Embajadores, número diez.

Observaciones:

- *A + el → al*

  —¿Vamos **al** cine esta noche?
- *De + el → del*

  —Mira, esa es la mujer **del** director.

4.2. ARTÍCULOS INDETERMINADOS

	Masculino	Femenino
Singular	*un, -o*	*una*
Plural	*unos*	*unas*

Se usa el artículo indeterminado cuando un hablante introduce o especifica una nueva persona o cosa.

Yo trabajo en **un** restaurante.

—¿Cuántos hermanos tienes?

—Uno.

5 Posesivos

Los posesivos concuerdan con el sustantivo en género y número.

—Tu**s** herman**os** no viven aquí, ¿verdad?

—Es una amig**a** mí**a**.

5.1. FORMAS ÁTONAS

Masculino		Femenino	
Singular	**Plural**	**Singular**	**Plural**
mi	*mis*	*mi*	*mis*
tu	*tus*	*tu*	*tus*
su	*sus*	*su*	*sus*
nuestro	*nuestros*	*nuestra*	*nuestras*
vuestro	*vuestros*	*vuestra*	*vuestras*
su	*sus*	*su*	*sus*

Observaciones:

- Van delante del sustantivo.

  —¿A qué se dedica **tu** padre?

5.2. FORMAS TÓNICAS

Masculino		Femenino	
Singular	**Plural**	**Singular**	**Plural**
mío	*míos*	*mía*	*mías*
tuyo	*tuyos*	*tuya*	*tuyas*
suyo	*suyos*	*suya*	*suyas*
nuestro	*nuestros*	*nuestra*	*nuestras*
vuestro	*vuestros*	*vuestra*	*vuestra*
suyo	*suyos*	*suya*	*suyas*

Observaciones:

- Pueden ir:
  - Detrás del sustantivo.

    —Un amigo **mío**.
  - Detrás del verbo.

    —Ese libro es **tuyo**, ¿no?
  - Detrás del artículo y otros determinantes del sustantivo.

    —Mi novia es muy inteligente.

    —**La mía** también.

6 Demostrativos

6.1. ADJETIVOS DEMOSTRATIVOS

Masculino		Femenino	
Singular	**Plural**	**Singular**	**Plural**
este	*estos*	*esta*	*estas*
ese	*esos*	*esa*	*esas*
aquel	*aquellos*	*aquella*	*aquellas*

Observaciones:

- Los adjetivos demostrativos van delante del sustantivo.

  —¿Puedo ver **ese** bolígrafo?
- Concuerdan con el sustantivo en género y número.

  —¿Cuánto cuesta est**e** diccionari**o**?

6.2. PRONOMBRES DEMOSTRATIVOS

Masculino		Femenino	
Singular	**Plural**	**Singular**	**Plural**
este	*estos*	*esta*	*estas*
ese	*esos*	*esa*	*esas*
aquel	*aquellos*	*aquella*	*aquellas*

Observaciones:

- Los pronombres demostrativos tienen el género y el número del sustantivo al que se refieren.

  —**Esta** es mi profesor**a** de español.
- Las formas *esto, eso* y *aquello* no indican género y solo funcionan como pronombres.

  —¿Cómo se dice **esto** en español?
- Los pronombres demostrativos se acentúan obligatoriamente en aquellas frases que pueden tener doble sentido.

  —Trabajo con **ese** director.
  —Trabajo con **ése**, director.

7 Verbos

En español hay tres grupos de verbos. El infinitivo puede terminar en *-ar, -er* o *-ir.*

7.1. PRESENTE DE INDICATIVO

7.1.1. Verbos regulares

	-ar	-er	-ir
	HABLAR	**COMER**	**VIVIR**
(Yo)	habl**o**	com**o**	viv**o**
(Tú)	habl**as**	com**es**	viv**es**
(Él/ella/usted*)	habl**a**	com**e**	viv**e**
(Nosotros/nosotras)	habl**amos**	com**emos**	viv**imos**
(Vosotros/vosotras)	habl**áis**	com**éis**	viv**ís**
(Ellos/ellas/ustedes*)	habl**an**	com**en**	viv**en**

7.1.2. Verbos irregulares

7.1.2.1. *Ser, estar* e *ir*:

	SER	ESTAR	IR
(Yo)	**soy**	**estoy**	**voy**
(Tú)	**eres**	**estás**	**vas**
(Él/ella/usted*)	**es**	**está**	**va**
(Nosotros/nosotras)	**somos**	**estamos**	**vamos**
(Vosotros/vosotras)	**sois**	**estáis**	**vais**
(Ellos/ellas/ustedes*)	**son**	**están**	**van**

* *Usted* y *ustedes* designan a segundas personas, pero se usan con la mismas formas verbales que *él/ella* y *ellos/ellas* (terceras personas).

7.1.2.2. Irregularidades que afectan a las tres personas del singular y a la tercera del plural.

e → ie	*o → ue*	*e → i*	verbos en *-uir* *u → uy*	verbo *jugar* *u → ue*
QUERER	**PODER**	**PEDIR**	**INCLUIR**	**JUGAR**
qu**ie**ro	p**ue**do	p**i**do	inclu**y**o	j**ue**go
qu**ie**res	p**ue**des	p**i**des	inclu**y**es	j**ue**gas
qu**ie**re	p**ue**de	p**i**de	inclu**y**e	j**ue**ga
queremos	podemos	pedimos	incluimos	jugamos
queréis	podéis	pedís	incluís	jugáis
qu**ie**ren	p**ue**den	p**i**den	inclu**y**en	j**ue**gan

7.1.2.3. *c* → *zc* en la primera persona del singular (verbos en *-ecer*, *-ocer* y *-ucir*)

conocer → cono**z**co
conducir → condu**z**co
traducir → tradu**z**co

7.1.2.4. Verbos con la primera persona del singular irregular:

hacer → ha**g**o
salir → sal**g**o
poner → pon**g**o
traer → tra**ig**o

saber → s**é**
ver → v**e**o
dar → do**y**

7.1.2.5. Verbos con doble irregularidad:

TENER	VENIR	DECIR	OÍR
ten**g**o	ven**g**o	d**ig**o	o**ig**o
t**ie**nes	v**ie**nes	d**i**ces	o**y**es
t**ie**ne	v**ie**ne	d**i**ce	o**y**e
tenemos	venimos	decimos	oímos
tenéis	venís	decís	oís
t**ie**nen	v**ie**nen	d**i**cen	o**y**en

USOS:

Para expresar lo que hacemos habitualmente.
—Todos los días **me levanto** a las ocho.
Para dar información sobre el presente.
—**Está** casada y **tiene** dos hijos.
Para ofrecer y pedir cosas.
—¿**Quieres** más ensalada?
—¿Me **das** una hoja, por favor?

Para hacer sugerencias.
—¿Por qué no **vas** al médico?
Para hacer invitaciones.
—¿**Quieres** venir a la playa con nosotros?
Para hablar del futuro.
—Mañana **actúa** Prince en Barcelona.

7.2. PRETÉRITO INDEFINIDO

7.2.1. Verbos regulares

HABLAR	COMER	SALIR
habl**é**	com**í**	sal**í**
habl**aste**	com**iste**	sal**iste**
habl**ó**	com**ió**	sal**ió**
habl**amos**	com**imos**	sal**imos**
habl**asteis**	com**isteis**	sal**isteis**
habl**aron**	com**ieron**	sal**ieron**

7.2.2. Verbos irregulares

7.2.2.1. Los verbos *ser* e *ir* tienen las mismas formas:

fui
fuiste
fue
fuimos
fuisteis
fueron

7.2.2.2. Verbos de uso frecuente con raíz y terminaciones irregulares:

INFINITIVO	RAÍZ	TERMINACIONES
tener	*tuv-*	*–e* *–iste* *–o* *–imos* *–isteis* *–ieron*
estar	*estuv-*	
poder	*pud-*	
poner	*pus-*	
saber	*sup-*	
andar	*anduv-*	
hacer	*hic-/hiz-*	
querer	*quis-*	
venir	*vin-*	

INFINITIVO	RAÍZ	TERMINACIONES
decir	*dij-*	*–e* *–iste* *–o* *–imos* *–isteis* *–eron*
traer	*traj-*	

7.2.2.3. *o* → *u* en las terceras personas

DORMIR	MORIR
dormí	
dormiste	
d**u**rmió	m**u**rió
dormimos	
dormisteis	
d**u**rmieron	m**u**rieron

7.2.2.4. *e* → *i* en las terceras personas de los verbos en *e ... ir* (excepto *decir*)

PEDIR
pedí
pediste
p**i**dió
pedimos
pedisteis
p**i**dieron

7.2.2.5. *y* en las terceras personas de la mayoría de los verbos terminados en **vocal** + *er/ir*

LEER
leí
leíste
le**y**ó
leímos
leísteis
le**y**eron

OIR
oí
oíste
o**y**ó
oímos
oísteis
o**y**eron

7.2.2.6. Verbo *dar*

DAR
di
diste
dio
dimos
disteis
dieron

USOS:

Para hablar de acciones o sucesos pasados situados en una unidad de tiempo independiente del presente. Lo utilizamos con referencias temporales tales como **ayer**, **el otro día**, **la semana pasada**, **el mes pasado**, **el año pasado**, etc.

—Ayer **comí** con Cristina.

—El año pasado **estuve** de vacaciones en Irlanda.

7.3. IMPERATIVO AFIRMATIVO

-AR	-ER	-IR	
entr**a**	le**e**	abr**e**	(tú)
entr**e**	le**a**	abr**a**	(usted)
entr**ad**	le**ed**	abr**id**	(vosotros)
entr**en**	le**an**	abr**an**	(ustedes)

Observaciones:

- *Tú*: el imperativo afirmativo es igual a la tercera persona singular del presente de indicativo.

  —**Toma**.
  —**Sigue** todo recto...
  —¿Puedo cerrar la ventana?
  —Sí. **Cierra**, **cierra**.

  Excepciones:

  hacer → **haz**
  poner → **pon**
  venir → **ven**
  tener → **ten**
  salir → **sal**
  decir → **di**
  ir → **ve**
  ser → **sé**

- Los verbos irregulares en la primera persona del singular del presente de indicativo tienen la misma irregularidad en el imperativo afirmativo de las personas *usted* y *ustedes*.

  C**ie**rro → c**ie**rre, c**ie**rren.
  P**i**do → p**i**da, p**i**dan.
  Ha**g**o → ha**g**a, ha**g**an.

  Excepciones:

  Ir → **vaya**, **vayan**.
  Ser → **sea**, **sean**.
  Estar → **esté**, **estén**.
  Dar → **dé**, **den**.

- **Vosotros**: el imperativo afirmativo se construye sustituyendo la *r* final del infinitivo por una *d*.

  Estudiar → estudia**d**
  Venir → veni**d**
  Salir → sali**d**

Pero en los verbos reflexivos esa forma (*sentad*, por ejemplo) pierde la *d*. A veces se usa el infinitivo.

—¿Podemos sentarnos?
—Sí, sí. **Sentaos** / **sentaros**.

- Los pronombres van detrás del imperativo afirmativo, formando con este una sola palabra.

  —¿Puedo abrir la puerta? Es que tengo mucho calor.
  —Sí, sí. **Ábrela**.

USOS:

Para dar instrucciones.

—Oiga, perdone, ¿el restaurante Villa está cerca de aquí?
—Sí, muy cerca. **Siga** todo recto y **gire** la primera a la derecha...

Para ofrecer cosas.

—**Coge**, **coge** otro pastel, que están muy buenos.

Para conceder permiso.

—¿Puedo bajar un poco el volumen de la tele?
—Sí, sí. **Bájalo**.

8 Pronombres personales

8.1. SUJETO

	1.ª PERSONA	2.ª PERSONA	3.ª PERSONA
Singular	*yo*	*tú* *usted*	*él* *ella*
Plural	*nosotros* *nosotras*	*vosotros* *vosotras* *ustedes*	*ellos* *ellas*

8.2. OBJETO INDIRECTO

	1.ª PERSONA	2.ª PERSONA	3.ª PERSONA
Singular	*me*	*te* *le*	*le*
Plural	*nos*	*os* *les*	*les*

8.3. REFLEXIVOS

	1.ª PERSONA	2.ª PERSONA	3.ª PERSONA
Singular	*me*	*te* *se*	*se*
Plural	*nos*	*os* *se*	*se*

8.4. PREPOSICIÓN + PRONOMBRE PERSONAL

	1.ª PERSONA	2.ª PERSONA	3.ª PERSONA
Singular	*mí*	*ti* *usted*	*él* *ella*
Plural	*nosotros* *nosotras*	*vosotros* *vosotras* *ustedes*	*ellos* *ellas*

Observaciones:

- Normalmente no usamos el pronombre personal sujeto porque las terminaciones del verbo indican qué persona realiza la acción.

  —¿Cómo te llamas? **(tú)**.

- Lo utilizamos para dar énfasis al sujeto o para marcar una oposición.

  —**Yo** trabajo en un banco.
  —Pues **yo** soy estudiante.

- *Yo* y *tú* no pueden combinarse con preposiciones; en ese caso, se sustituyen por las formas correspondientes: *mí* y *ti*.

  —¿Esto es para **mí**?
  —Sí, sí. Para **ti**.

  Cuando van precedidas de la preposición *con*, usamos unas formas diferentes: *conmigo* y *contigo*.

  —¿Quieres venir al cine **conmigo**?

- Los pronombres personales de objeto indirecto y reflexivos van delante del verbo conjugado.

  —¿**Te** gusta?
  —¿**Os** acostáis muy tarde?

- Pero cuando los combinamos con el imperativo afirmativo, van siempre detrás, formando una sola palabra con el verbo.

  —¿Me puedo sentar?
  —Sí, sí. Siénte**se**.

- Con infinitivo y gerundio pueden ir detrás de estas formas verbales, formando una sola palabra, o delante del verbo conjugado.

  —Voy a duchar**me** = **me** voy a duchar.
  —Está duchándo**se** = **se** está duchando.

9 Interrogativos

9.1. ¿QUIÉN?, ¿QUIÉNES?

¿Quién/quiénes + verbo?

Para preguntar por la identidad de personas en general.

—¿**Quién** es?
—Laura, mi profesora de español.

—¿**Quiénes** son esos niños?
—Mis primos de Valencia.

9.2. ¿QUÉ?

9.2.1. *¿Qué* + verbo?

9.2.1.1. Para preguntar por la identidad de cosas en general.

• ¿**Qué** es eso?

9.2.1.2. Para preguntar por acciones.

—¿**Qué** vas a hacer esta noche?
—Voy a ir al teatro con Ernesto.

9.2.2. *¿Qué* + sustantivo + verbo?

Para preguntar por la identidad de personas o cosas de una misma clase.

—¿**Qué** lenguas hablas?
—Inglés e italiano.

—¿**Qué** actores españoles te gustan?
—Luis Ciges y Paco Rabal.

9.3. ¿CUÁL?, ¿CUÁLES?

¿Cuál / cuáles + verbo?

Para preguntar por la identidad de personas o cosas de una misma clase.

—¿**Cuál** es la moneda de tu país?
—El euro.

—¿**Cuál** te gusta más? (de esos dos cantantes).
—Fernando Usuriaga.

9.4. ¿DÓNDE?

¿Dónde + verbo?

Para preguntar por la localización en el espacio.

—¿**Dónde** vives?
—En Málaga.

9.5. ¿CUÁNDO?

¿Cuándo + verbo?

Para preguntar por la localización en el tiempo.

—¿**Cuándo** te vas de vacaciones?
—El sábado.

9.6. ¿CUÁNTO?, ¿CUÁNTA?, ¿CUÁNTOS?, ¿CUÁNTAS?

Para preguntar por la cantidad.

9.6.1. *¿Cuánto* + verbo?

—¿**Cuánto** cuesta esta agenda?
—Diez euros.

9.6.2. *¿Cuánto / cuánta / cuántos / cuántas* (+ sustantivo) + verbo?

—¿**Cuántas** hermanas tienes?
—Dos.

9.7. ¿CÓMO?

¿*Cómo* + verbo?

9.7.1. Para preguntar por las características de personas o cosas.

— ¿**Cómo** es tu profesor?
— Alto, rubio, bastante gordo... y muy simpático.

9.7.2. Para preguntar por el modo.

— ¿**Cómo** vienes a clase?
— En bicicleta.

9.8. ¿POR QUÉ?

¿*Por qué* + verbo?

Para preguntar por la causa o la finalidad.

• ¿**Por qué** estudias español?

Observaciones:

- Los interrogativos pueden ir precedidos de determinadas preposiciones.
  • ¿**De** dónde es?
  • ¿**A** qué te dedicas?
  • ¿**Con** quién vives?
- ¿*Por qué? – porque*
  • ¿**Por qué** estudias ruso? (PREGUNTA).
  • **Porque** quiero ir de vacaciones a Moscú (RESPUESTA).

10 Hay - Está(n)

10.1. HAY

Es una forma impersonal del presente de indicativo del verbo *haber*.

Utilizamos *hay* cuando expresamos la existencia de cosas o personas.

• *Hay* + *un(os) / una(s) / dos / tres / ...* + sustantivo.
• *Hay* + *uno / una / dos / tres / ...*
• *Hay* + sustantivo.

—Perdone, ¿sabe si **hay un** estanco por aquí cerca?
—Sí, **hay uno** en esa plaza, al lado de la parada de autobús.
—En Madrid no **hay** playa.

10.2. ESTÁ, ESTÁN

Usamos *está* o *están* cuando localizamos a personas o cosas que sabemos o suponemos que existen.

—¿Y David?
— **Está** en la biblioteca.
—Perdona, ¿el Teatro Griego **está** por aquí?
—Sí, **está** al final de esta misma calle, a la derecha.

Observa estas frases:

—¿Dónde **está el Banco Mediterráneo**?
—¿Sabe si **hay un banco** por aquí?
—En esta ciudad **hay un museo** muy interesante.
—**El Museo Arqueológico está** en la Plaza Mayor.

11 Ser - Estar

11.1. SER

- Identidad.
  —**Eres la hermana de Gloria**, ¿verdad?
- Origen, nacionalidad.
  —Luciano Pavarotti **es italiano**.
- Profesión.
  —**Soy ingeniero.**
- Descripción de personas, objetos y lugares.
  —**Es alta, morena** y lleva gafas.
  —Tu coche **es negro**, ¿no?
  —**Es** una ciudad **pequeña y muy tranquila**.
- Descripción o valoración del carácter de una persona.
  —Mi hermano pequeño **es muy gracioso**.
- La hora.
  —¡Ya **son las dos**!
- Valoración de objetos, actividades y períodos de tiempo.
  —Este diccionario **es muy bueno**.

11.2. ESTAR

- Localización en el espacio.
  —El quiosco **está enfrente del bar**.
- Estados físicos o anímicos de personas.
  —¿Estás cansada?
  —*Sí*, **estoy cansadísima**.
  —**Estás muy contento**, ¿no?
- Circunstancias o estados de objetos y lugares.
  —¿Funciona esta radio?
  —*No*, **está rota.**
  —¿Ya **está abierta** la farmacia?

12 Gustar

Para expresar gustos personales.

- **A ti te gusta** mucho esquiar, ¿verdad?
- **Me gusta** mucho tu chaqueta.
- **A mí no me gustan** las motos.

(A mí) (A ti) (A usted/él/	Me Te Le	gusta	(mucho) (bastante)	bailar el teatro
(A nosotros/nosotras) (A vosotros/vosotras) (A ustedes/ellos/ellas)	Nos Os Les	gustan	(mucho) (bastante)	los niños

Observaciones:

- El verbo *encantar* sirve también para expresar gustos personales, pero no puede utilizarse con adverbios.
  - **Me encanta** ~~mucho~~ la música clásica.
  - **Me encantan** estos zapatos.

13 También, tampoco, sí, no

- *También, tampoco:* para expresar coincidencia o acuerdo con lo que ha dicho otra persona.
- *También* responde a frases afirmativas; *tampoco*, a frases negativas.

—Yo vivo con mis padres.
—Yo **también**.

—Me gusta mucho este disco.
—A mí **también**.

—No tengo coche.
—Yo **tampoco**.

—No me gustan las discotecas.
—A mí **tampoco**.

- *Sí, no:* para expresar no coincidencia o desacuerdo con lo que ha dicho otra persona.
- *Sí* responde a frases negativas; *no*, a frases afirmativas.

—No tengo coche.
—Yo **sí**.

—No me gustan las discotecas.
—A mí **sí**.

—Yo vivo con mis padres.
—Yo **no**.

—Me gusta mucho este disco.
—A mí **no**.

Observaciones:

- En las respuestas de este tipo de diálogos usamos siempre pronombres personales (*yo, tú, él*, etc.); a veces van precedidos de preposición (*a mí, a ti, a él*, etc.).

—Estudio Sociología.
—**Yo** también.

—No me gusta nada este libro.
—**A mí** tampoco.

14 Expresión de la frecuencia

Para expresar frecuencia podemos utilizar:

+	*siempre*
	casi siempre
	normalmente / generalmente
	a menudo
	a veces
	casi nunca (no ... casi nunca)
–	*nunca (no ... nunca)*

—**Siempre** hago los deberes por la tarde.
—**Nunca** veo la televisión por la mañana.
No veo **nunca** la televisión por la mañana.

15 Muy - Mucho

15.1. MUY, MUCHO

muy	+	adjetivo
		adverbio

verbo + *mucho*

—Yo trabajo **mucho**.

- Mi habitación es **muy** pequeña.

—¿Qué tal estás?
—**Muy** bien. ¿Y tú?

15.2. MUCHO, MUCHA, MUCHOS, MUCHAS

mucho/a/os/as + sustantivo

- En esta calle hay **muchos** bares.
- Hoy tengo **mucho** sueño.

Observaciones:

- *Muy* no modifica nunca a sustantivos.
  - Tengo ~~muy~~ amigos aquí. (Tengo **muchos** amigos aquí).
- Tampoco funciona como adverbio independiente.
  - Me duele ~~muy~~. (Me duele **mucho**).
- *Mucho* no modifica nunca a adjetivos ni a adverbios.
  - Es ~~mucho~~ alto. (Es **muy** *alto*).
  - Habla ~~mucho~~ bien. (Habla **muy** bien).

16 Frases exclamativas

¡*Qué* + adjetivo (+ verbo)!
- ¡**Qué** guapo!
- ¡**Qué** grande es!

¡*Qué* + sustantivo (+ verbo)!
- ¡**Qué** calor!
- ¡**Qué** sed tengo!

¡*Qué* + adverbio (+ verbo)!
- ¡**Qué** bien!
- ¡**Qué** mal!

- ¡**Qué** mal escribe!
- ¡**Qué** pronto es!

USOS: Las exclamaciones sirven para valorar positiva o negativamente algo o a alguien, expresar sorpresa, admiración, desagrado o contrariedad.